E. T. A. Hoffmann

Der Sandmann

E. T. A. Hoffmann (1776–1822): Selbstbildnis
Radierung von Ludwig Buchhorn (1770–1856) nach einer Zeichnung Hoffmanns; die Radierung entstand für Julius Eduard Hitzigs Biografie seines verstorbenen Freundes (*Aus Hoffmanns Leben und Nachlass.* Berlin: Ferdinand Dümmler 1823).

E. T. A. Hoffmann

Der Sandmann

Nathanael an Lothar

Gewiss seid Ihr alle voll Unruhe, dass ich so lange – lange nicht geschrieben. Mutter zürnt wohl, und Clara mag glauben, ich lebe hier in Saus und Braus und vergesse mein holdes Engelsbild, so tief mir in Herz und Sinn eingeprägt, ganz und gar. – Dem ist aber nicht so; täglich und stündlich gedenke ich Eurer aller und in süßen Träumen geht meines holden Clärchens freundliche Gestalt vorüber und lächelt mich mit ihren hellen Augen so anmutig an, wie sie wohl pflegte, wenn ich zu Euch hineintrat. – Ach wie vermochte ich denn Euch zu schreiben, in der zerrissenen Stimmung des Geistes, die mir bisher alle Gedanken verstörte! – Etwas Entsetzliches ist in mein Leben getreten! – Dunkle Ahnungen eines grässlichen mir drohenden Geschicks breiten sich wie schwarze Wolkenschatten über mich aus, undurchdringlich jedem freundlichen Sonnenstrahl. – Nun soll ich Dir sagen, was mir widerfuhr. Ich muss es, das sehe ich ein, aber nur es denkend, lacht es wie toll aus mir heraus. – Ach mein herzlieber Lothar! wie fange ich es denn an, Dich nur einigermaßen empfinden zu lassen, dass das, was mir vor einigen Tagen geschah, denn wirklich mein Leben so feindlich zerstören konnte! Wärst Du nur hier, so könntest Du selbst schauen; aber jetzt hältst Du mich gewiss für einen aberwitzigen Geisterseher. – Kurz und gut, das Entsetzliche, was mir geschah, dessen tödlichen Eindruck zu vermeiden ich mich vergebens bemühe, besteht in nichts anderm, als dass vor einigen Tagen, nämlich am 30. Oktober mittags um 12 Uhr, ein Wetterglashändler in meine Stube trat und mir seine Ware anbot. Ich kaufte nichts und drohte, ihn die Treppe herabzuwerfen, worauf er aber von selbst fortging. –

Du ahnest, dass nur ganz eigne, tief in mein Leben eingreifende Beziehungen diesem Vorfall Bedeutung geben

Clara → Seite 55

mein holdes Engelsbild → Seite 55

toll verrückt, wahnsinnig

aberwitzigen vernunftlosen, verrückten

Geisterseher → Seite 55

um 12 Uhr → Seite 55

Wetterglashändler Wettergläser waren (nicht sehr zuverlässige) Vorläufer heutiger Barometer.

können, ja, dass wohl die Person jenes unglückseligen Krämers gar feindlich auf mich wirken muss. So ist es in der Tat. Mit aller Kraft fasse ich mich zusammen, um ruhig und geduldig Dir aus meiner frühern Jugendzeit so viel zu erzählen, dass Deinem regen Sinn alles klar und deutlich in leuchtenden Bildern aufgehen wird. Indem ich anfangen will, höre ich Dich lachen und Clara sagen: das sind ja rechte Kindereien! – Lacht, ich bitte Euch, lacht mich recht herzlich aus! – ich bitt Euch sehr! – Aber Gott im Himmel! die Haare sträuben sich mir und es ist, als flehe ich Euch an, mich auszulachen, in wahnsinniger Verzweiflung, wie *Franz Moor* den *Daniel*. – Nun fort zur Sache! –

Außer dem Mittagsessen sahen wir, ich und mein Geschwister, tagüber den Vater wenig. Er mochte mit seinem Dienst viel beschäftigt sein. Nach dem Abendessen, das alter Sitte gemäß schon um sieben Uhr aufgetragen wurde, gingen wir alle, die Mutter mit uns, in des Vaters Arbeitszimmer und setzten uns um einen runden Tisch. Der Vater rauchte Tabak und trank ein großes Glas Bier dazu. Oft erzählte er uns viele wunderbare Geschichten und geriet darüber so in Eifer, dass ihm die Pfeife immer ausging, die ich, ihm brennend Papier hinhaltend, wieder anzünden musste, welches mir denn ein Hauptspaß war. Oft gab er uns aber Bilderbücher in die Hände, saß stumm und starr in seinem Lehnstuhl und blies starke Dampfwolken von sich, dass wir alle wie im Nebel schwammen. An solchen Abenden war die Mutter sehr traurig und kaum schlug die Uhr neun, so sprach sie: »Nun Kinder! – zu Bette! zu Bette! der Sandmann kommt, ich merk es schon.« Wirklich hörte ich dann jedesmal etwas schweren langsamen Tritts die Treppe heraufpoltern; das musste der Sandmann sein. Einmal war mir jenes dumpfe Treten und Poltern besonders graulich; ich frug die Mutter, indem sie uns fortführte: »Ei Mama! wer ist denn

unglückseligen unseligen, Unglück bringenden

Krämer Händler im kleinen Stil (mit geringem Warenangebot und Umsatz)

fasse nehme

regen lebhaften, aufgeweckten

wie Franz Moor den Daniel → Seite 56

mein Geschwister hier als ›kollektiver Singular‹ verwendet; Nathanael hat mindestens zwei Schwestern (vgl. S. 7, Z. 13).

Hauptspaß Spaß erster Ordnung, besonders lustiger Spaß

graulich grauenerregend, unheimlich

frug fragte

der böse Sandmann, der uns immer von Papa forttreibt? – wie sieht er denn aus?« – »Es gibt keinen Sandmann, mein liebes Kind«, erwiderte die Mutter: »wenn ich sage, der Sandmann kommt, so will das nur heißen, ihr seid schläfrig und könnt die Augen nicht offen behalten, als hätte man euch Sand hineingestreut.« – Der Mutter Antwort befriedigte mich nicht, ja in meinem kindischen Gemüt entfaltete sich deutlich der Gedanke, dass die Mutter den Sandmann nur verleugne, damit wir uns vor ihm nicht fürchten sollten, ich hörte ihn ja immer die Treppe heraufkommen. Voll Neugierde, Näheres von diesem Sandmann und seiner Beziehung auf uns Kinder zu erfahren, frug ich endlich die alte Frau, die meine jüngste Schwester wartete: was denn das für ein Mann sei, der Sandmann? »Ei *Thanelchen*«, erwiderte diese, »weißt du das noch nicht? Das ist ein böser Mann, der kommt zu den Kindern, wenn sie nicht zu Bett gehen wollen und wirft ihnen Händevoll Sand in die Augen, dass sie blutig zum Kopf herausspringen, die wirft er dann in den Sack und trägt sie in den Halbmond zur Atzung für seine Kinderchen; die sitzen dort im Nest und haben krumme Schnäbel, wie die Eulen, damit picken sie der unartigen Menschenkindlein Augen auf.« – Grässlich malte sich nun im Innern mir das Bild des grausamen Sandmanns aus; sowie es abends die Treppe heraufpolterte, zitterte ich vor Angst und Entsetzen. Nichts als den unter Tränen hergestotterten Ruf: »der Sandmann! der Sandmann!« konnte die Mutter aus mir herausbringen. Ich lief darauf in das Schlafzimmer, und wohl die ganze Nacht über quälte mich die fürchterliche Erscheinung des Sandmanns. – Schon alt genug war ich geworden, um einzusehen, dass das mit dem Sandmann und seinem Kindernest im Halbmonde, so wie es mir die Wartefrau erzählt hatte, wohl nicht ganz seine Richtigkeit haben könne; indessen blieb mir der Sandmann ein fürchterliches Gespenst,

kindischen kindlichen

wartete versorgte, in ihrer Obhut hatte

Atzung Fütterung junger Raubvögel

und Grauen – Entsetzen ergriff mich, wenn ich ihn nicht allein die Treppe heraufkommen, sondern auch meines Vaters Stubentür heftig aufreißen und hineintreten hörte. Manchmal blieb er lange weg, dann kam er öfter hintereinander. Jahrelang dauerte das, und nicht gewöhnen konnte ich mich an den unheimlichen Spuk, nicht bleicher wurde in mir das Bild des grausigen Sandmanns. Sein Umgang mit dem Vater fing an meine Fantasie immer mehr und mehr zu beschäftigen: den Vater darum zu befragen hielt mich eine unüberwindliche Scheu zurück, aber selbst – selbst das Geheimnis zu erforschen, den fabelhaften Sandmann zu sehen, dazu keimte mit den Jahren immer mehr die Lust in mir empor. Der Sandmann hatte mich auf die Bahn des Wunderbaren, Abenteuerlichen gebracht, das so schon leicht im kindlichen Gemüt sich einnistet. Nichts war mir lieber, als schauerliche Geschichten von Kobolden, Hexen, Däumlingen u.s.w. zu hören oder zu lesen; aber obenan stand immer der Sandmann, den ich in den seltsamsten, abscheulichsten Gestalten überall auf Tische, Schränke und Wände mit Kreide, Kohle, hinzeichnete. Als ich zehn Jahre alt geworden, wies mich die Mutter aus der Kinderstube in ein Kämmerchen, das auf dem Korridor unfern von meines Vaters Zimmer lag. Noch immer mussten wir uns, wenn auf den Schlag neun Uhr sich jener Unbekannte im Hause hören ließ, schnell entfernen. In meinem Kämmerchen vernahm ich, wie er bei dem Vater hineintrat und bald darauf war es mir dann, als verbreite sich im Hause ein feiner seltsam riechender Dampf. Immer höher mit der Neugierde wuchs der Mut, auf irgendeine Weise des Sandmanns Bekanntschaft zu machen. Oft schlich ich schnell aus dem Kämmerchen auf den Korridor, wenn die Mutter vorübergegangen, aber nichts konnte ich erlauschen, denn immer war der Sandmann schon zur Türe hinein, wenn ich den Platz erreicht hatte, wo er mir sichtbar werden musste.

darum darüber

fabelhaften einer Fabel, einem Ammenmärchen entsprungenen

Däumling Märchenfigur, die nur die Größe eines Daumens hat

Endlich von unwiderstehlichem Drange getrieben, beschloss ich, im Zimmer des Vaters selbst mich zu verbergen und den Sandmann zu erwarten.

An des Vaters Schweigen, an der Mutter Traurigkeit merkte ich eines Abends, dass der Sandmann kommen werde; ich schützte daher große Müdigkeit vor, verließ schon vor neun Uhr das Zimmer und verbarg mich dicht neben der Türe in einen Schlupfwinkel. Die Haustür knarrte, durch den Flur ging es, langsamen, schweren, dröhnenden Schrittes nach der Treppe. Die Mutter eilte mit dem Geschwister mir vorüber. Leise – leise öffnete ich des Vaters Stubentür. Er saß, wie gewöhnlich, stumm und starr den Rücken der Türe zugekehrt, er bemerkte mich nicht, schnell war ich hinein und hinter der Gardine, die einem gleich neben der Türe stehenden offnen Schrank, worin meines Vaters Kleider hingen, vorgezogen war. – Näher – immer näher dröhnten die Tritte – es hustete und scharrte und brummte seltsam draußen. Das Herz bebte mir vor Angst und Erwartung. – Dicht, dicht vor der Türe ein scharfer Tritt – ein heftiger Schlag auf die Klinke, die Tür springt rasselnd auf! – Mit Gewalt mich ermannend gucke ich behutsam hervor. Der Sandmann steht mitten in der Stube vor meinem Vater, der helle Schein der Lichter brennt ihm ins Gesicht! – Der Sandmann, der fürchterliche Sandmann ist der alte Advokat *Coppelius*, der manchmal bei uns zu Mittage isst! –

Aber die grässlichste Gestalt hätte mir nicht tieferes Entsetzen erregen können, als eben dieser *Coppelius*. – Denke Dir einen großen breitschultrigen Mann mit einem unförmlich dicken Kopf, erdgelbem Gesicht, buschigten grauen Augenbrauen, unter denen ein Paar grünliche Katzenaugen stechend hervorfunkeln, großer, starker über die Oberlippe gezogener Nase. Das schiefe Maul verzieht sich oft zum hämischen Lachen; dann werden auf den Backen ein paar

mir an mir

Advokat Rechtsanwalt

Coppelius → Seite 56

in einem altmodisch zugeschnittenen aschgrauen Rocke → Seite 56

Kleblocken waagrechte Haarrollen, die seitlich an die (gepuderte) Perücke geklebt waren; Teil der altmodischen Ausstaffierung des Advokaten

Haarbeutel um 1720 als Teil der Männermode aufgekommener, meist aus Seide gefertigter Beutel, in den die langen Haare mit einer Zierschleife eingebunden wurden; ab dem Ende des 18. Jahrhunderts trug man dann die Haare offen (und kürzer).

gefältelte Halsbinde Tuch aus gestärktem Leinen, das um den Hals gebunden wurde; Vorläufer der Krawatte

der derer; an der

genießen mochten essen wollten

gegen ihn ihm gegenüber

dunkelrote Flecke sichtbar und ein seltsam zischender Ton fährt durch die zusammengekniffenen Zähne. *Coppelius* erschien immer in einem altmodisch zugeschnittenen aschgrauen Rocke, ebensolcher Weste und gleichen Beinkleidern, aber dazu schwarze Strümpfe und Schuhe mit kleinen Steinschnallen. Die kleine Perücke reichte kaum bis über den Kopfwirbel heraus, die Kleblocken standen hoch über den großen roten Ohren und ein breiter verschlossener Haarbeutel starrte von dem Nacken weg, so dass man die silberne Schnalle sah, die die gefältelte Halsbinde schloss. Die ganze Figur war überhaupt widrig und abscheulich; aber vor allem waren uns Kindern seine großen knotigten, haarigten Fäuste zuwider, so dass wir, was er damit berührte, nicht mehr mochten. Das hatte er bemerkt und nun war es seine Freude, irgendein Stückchen Kuchen, oder eine süße Frucht, die uns die gute Mutter heimlich auf den Teller gelegt, unter diesem, oder jenem Vorwande zu berühren, dass wir, helle Tränen in den Augen, die Näscherei, der wir uns erfreuen sollten, nicht mehr genießen mochten vor Ekel und Abscheu. Ebenso machte er es, wenn uns an Feiertagen der Vater ein klein Gläschen süßen Weins eingeschenkt hatte. Dann fuhr er schnell mit der Faust herüber, oder brachte wohl gar das Glas an die blauen Lippen und lachte recht teuflisch, wenn wir unsern Ärger nur leise schluchzend äußern durften. Er pflegte uns nur immer die kleinen Bestien zu nennen; wir durften, war er zugegen, keinen Laut von uns geben und verwünschten den hässlichen, feindlichen Mann, der uns recht mit Bedacht und Absicht auch die kleinste Freude verdarb. Die Mutter schien ebenso, wie wir, den widerwärtigen *Coppelius* zu hassen; denn so wie er sich zeigte, war ihr Frohsinn, ihr heiteres unbefangenes Wesen umgewandelt in traurigen, düstern Ernst. Der Vater betrug sich gegen ihn, als sei er ein höheres Wesen, dessen Unarten man dulden und das man auf jede Weise bei guter Laune erhalten müsse. Er durfte nur leise andeuten und Lieblingsgerichte wurden gekocht und seltene Weine kredenzt.

Als ich nun diesen *Coppelius* sah, ging es grausig und entsetzlich in meiner Seele auf, dass ja niemand anders, als er, der Sandmann sein könne, aber der Sandmann war mir nicht mehr jener Popanz aus dem Ammenmärchen, der dem Eulennest im Halbmonde Kinderaugen zur Atzung holt, – Nein! – ein hässlicher gespenstischer Unhold, der überall, wo er einschreitet, Jammer – Not – zeitliches, ewiges Verderben bringt.

Ich war festgezaubert. Auf die Gefahr entdeckt, und, wie ich deutlich dachte, hart gestraft zu werden, blieb ich stehen, den Kopf lauschend durch die Gardine hervorgestreckt. Mein Vater empfing den *Coppelius* feierlich. »Auf! – zum Werk«, rief dieser mit heiserer, schnarrender Stimme und warf den Rock ab. Der Vater zog still und finster seinen Schlafrock aus und beide kleideten sich in lange schwarze Kittel. Wo sie *die* hernahmen, hatte ich übersehen. Der Vater öffnete die Flügeltür eines Wandschranks; aber ich sah, dass das, was ich so lange dafür gehalten, kein Wandschrank, sondern vielmehr eine schwarze Höhlung war, in der ein kleiner Herd stand. *Coppelius* trat hinzu und eine blaue Flamme knisterte auf dem Herde empor. Allerlei seltsames Geräte stand umher. Ach Gott! – wie sich nun mein alter Vater zum Feuer herabbückte, da sah er ganz anders aus. Ein grässlicher krampfhafter Schmerz schien seine sanften ehrlichen Züge zum hässlichen widerwärtigen Teufelsbilde verzogen zu haben. Er sah dem *Coppelius* ähnlich. Dieser schwang die glutrote Zange und holte damit hellblinkende Massen aus dem dicken Qualm, die er dann emsig hämmerte. Mir war es als würden Menschengesichter ringsumher sichtbar, aber ohne Augen – scheußliche, tiefe schwarze

durfte nur leise andeuten brauchte nur kleine Andeutungen zu machen

kredenzt (feierlich) dargeboten

Popanz Schreckgestalt

zeitliches, ewiges Verderben Verderben im Diesseits wie im Jenseits

Höhlen statt ihrer. »Augen her, Augen her!« rief *Coppelius* mit dumpfer dröhnender Stimme. Ich kreischte auf von wildem Entsetzen gewaltig erfasst und stürzte aus meinem Versteck heraus auf den Boden. Da ergriff mich *Coppelius*, »kleine Bestie! – kleine Bestie!« meckerte er zähnfletschend! – riss mich auf und warf mich auf den Herd, dass die Flamme mein Haar zu sengen begann: »Nun haben wir Augen – Augen – ein schön Paar Kinderaugen.« So flüsterte *Coppelius*, und griff mit den Fäusten glutrote Körner aus der Flamme, die er mir in die Augen streuen wollte. Da hob mein Vater flehend die Hände empor und rief: »Meister! Meister! lass meinem Nathanael die Augen – lass sie ihm!« *Coppelius* lachte gellend auf und rief: »Mag denn der Junge die Augen behalten und sein Pensum flennen in der Welt; aber nun wollen wir doch den Mechanismus der Hände und der Füße recht observieren.« Und damit fasste er mich gewaltig, dass die Gelenke knackten, und schrob mir die Hände ab und die Füße und setzte sie bald hier, bald dort wieder ein. »'S steht doch überall nicht recht! 's gut so wie es war! – Der Alte hat's verstanden!« So zischte und lispelte *Coppelius*; aber alles um mich her wurde schwarz und finster, ein jäher Krampf durchzuckte Nerv und Gebein – ich fühlte nichts mehr. Ein sanfter warmer Hauch glitt über mein Gesicht, ich erwachte wie aus dem Todesschlaf, die Mutter hatte sich über mich hingebeugt. »Ist der Sandmann noch da?« stammelte ich. »Nein, mein liebes Kind, der ist lange, lange fort, der tut dir keinen Schaden!« – So sprach die Mutter und küsste und herzte den wiedergewonnenen Liebling. –

»Augen her, Augen her!« → Seite 56

Mechanismus der Hände und der Füße → Seite 56

observieren beobachten, untersuchen

schrob schraubte

lispelte flüsterte

Nerv und Gebein den gesamten Körper

Was soll ich Dich ermüden, mein herzlieber *Lothar!* was soll ich so weitläufig Einzelnes hererzählen, da noch so vieles zu sagen übrig bleibt? Genug! – ich war bei der Lauscherei entdeckt, und von *Coppelius* gemisshandelt worden. Angst und Schrecken hatten mir ein hitziges Fieber zugezo-

hitziges Fieber → Seite 57

gen, an dem ich mehrere Wochen krank lag. »Ist der Sandmann noch da?« – Das war mein erstes gesundes Wort und das Zeichen meiner Genesung, meiner Rettung. – Nur noch den schrecklichsten Moment meiner Jugendjahre darf ich Dir erzählen; dann wirst Du überzeugt sein, dass es nicht meiner Augen Blödigkeit ist, wenn mir nun alles farblos erscheint, sondern, dass ein dunkles Verhängnis wirklich einen trüben Wolkenschleier über mein Leben gehängt hat, den ich vielleicht nur sterbend zerreiße. –

Blödigkeit Schwäche, Schüchternheit

Coppelius ließ sich nicht mehr sehen, es hieß, er habe die Stadt verlassen.

Coppelius ließ sich nicht mehr sehen, es hieß, er habe die Stadt verlassen. → Seite 57

Ein Jahr mochte vergangen sein, als wir der alten unveränderten Sitte gemäß abends an dem runden Tische saßen. Der Vater war sehr heiter und erzählte viel Ergötzliches von den Reisen, die er in seiner Jugend gemacht. Da hörten wir, als es neune schlug, plötzlich die Haustür in den Angeln knarren und langsame eisenschwere Schritte dröhnten durch den Hausflur die Treppe herauf. »Das ist *Coppelius*«, sagte meine Mutter erblassend. »Ja! – es ist *Coppelius*«, wiederholte der Vater mit matter gebrochener Stimme. Die Tränen stürzten der Mutter aus den Augen. »Aber Vater, Vater!« rief sie, »muss es denn so sein?« – »Zum letzten Male!« erwiderte dieser, »zum letzten Male kommt er zu mir, ich verspreche es dir. Geh nur, geh mit den Kindern! – Geht – geht zu Bette! Gute Nacht!«

Ergötzliches Vergnügliches, Unterhaltendes

Mir war es, als sei ich in schweren kalten Stein eingepresst – mein Atem stockte! – Die Mutter ergriff mich beim Arm als ich unbeweglich stehen blieb: »Komm *Nathanael,* komme nur!« – Ich ließ mich fortführen, ich trat in meine Kammer. »Sei ruhig, sei ruhig, lege dich ins Bette! – schlafe – schlafe«, rief mir die Mutter nach; aber von unbeschreiblicher innerer Angst und Unruhe gequält, konnte ich kein Auge zutun. Der verhasste abscheuliche *Coppelius* stand vor mir mit funkelnden Augen und lachte mich hämisch an, vergebens trachtete ich sein Bild loszuwerden. Es mochte wohl schon Mitternacht sein, als ein entsetzlicher Schlag geschah, wie wenn ein Geschütz losgefeuert würde. Das ganze Haus erdröhnte, es rasselte und rauschte bei meiner Türe vorüber, die Haustüre wurde klirrend zugeworfen. »Das ist *Coppelius*« rief ich entsetzt und sprang aus dem Bette. Da kreischte es auf in schneidendem trostlosen Jammer, fort stürzte ich nach des Vaters Zimmer, die Türe stand offen, erstickender Dampf quoll mir entgegen, das Dienstmädchen schrie: »Ach, der Herr! – der Herr!« – Vor dem dampfenden Herde auf dem Boden lag mein Vater tot mit schwarz verbranntem grässlich verzerrtem Gesicht, um ihn herum heulten und winselten die Schwestern – die Mutter ohnmächtig daneben! – »*Coppelius,* verruchter Satan, du hast den Vater erschlagen!« – So schrie ich auf; mir vergingen die Sinne. Als man zwei Tage darauf meinen Vater in den Sarg legte, waren seine Gesichtszüge wieder mild und sanft geworden, wie sie im Leben waren. Tröstend ging es in meiner Seele auf, dass sein Bund mit dem teuflischen *Coppelius* ihn nicht ins ewige Verderben gestürzt haben könne. –

verruchter schändlicher, sündenbehafteter

waren gewesen waren

Die Explosion hatte die Nachbarn geweckt, der Vorfall wurde ruchtbar und kam vor die Obrigkeit, welche den *Coppelius* zur Verantwortung vorfordern wollte. Der war aber spurlos vom Orte verschwunden.

wurde ruchtbar und kam vor die Obrigkeit wurde ruchbar (allgemein bekannt) und zog eine polizeiliche Untersuchung nach sich

Wenn ich Dir nun sage, mein herzlieber Freund! dass jener Wetterglashändler eben der verruchte *Coppelius* war, so wirst Du mir es nicht verargen, dass ich die feindliche Erscheinung als schweres Unheil bringend deute. Er war anders gekleidet, aber *Coppelius*' Figur und Gesichtszüge sind zu tief in mein Innerstes eingeprägt, als dass hier ein Irrtum möglich sein sollte. Zudem hat *Coppelius* nicht einmal seinen Namen geändert. Er gibt sich hier, wie ich höre, für ei-

zur Verantwortung vorfordern vor Gericht stellen

für einen als ein

nen piemontesischen Mechanikus aus, und nennt sich *Giuseppe Coppola.*

Ich bin entschlossen es mit ihm aufzunehmen und des Vaters Tod zu rächen, mag es denn nun gehen wie es will.

Der Mutter erzähle nichts von dem Erscheinen des grässlichen Unholds – Grüße meine liebe holde *Clara,* ich schreibe ihr in ruhigerer Gemütsstimmung. Lebe wohl etc. etc.

piemontesischen aus dem Piemont, einer norditalienischen Region (mit Turin als Hauptstadt), stammenden

* * *

Clara an Nathanael

Wahr ist es, dass Du recht lange mir nicht geschrieben hast, aber dennoch glaube ich, dass Du mich in Sinn und Gedanken trägst. Denn meiner gedachtest Du wohl recht lebhaft, als Du Deinen letzten Brief an Bruder *Lothar* absenden wolltest und die Aufschrift, statt an ihn, an mich richtetest. Freudig erbrach ich den Brief und wurde den Irrtum erst bei den Worten inne: Ach mein herzlieber *Lothar!* – Nun hätte ich nicht weiter lesen, sondern den Brief dem Bruder geben sollen. Aber, hast Du mir auch sonst manchmal in kindischer Neckerei vorgeworfen, ich hätte solch ruhiges, weiblich besonnenes Gemüt, dass ich wie jene Frau, drohe das Haus den Einsturz, noch vor schneller Flucht ganz geschwinde einen falschen Kniff in der Fenstergardine glattstreichen würde, so darf ich doch wohl kaum versichern, dass Deines Briefes Anfang mich tief erschütterte. Ich konnte kaum atmen, es flimmerte mir vor den Augen. – Ach, mein herzgeliebter *Nathanael!* was konnte so Entsetzliches in Dein Leben getreten sein! Trennung von Dir, Dich niemals wiedersehen, der Gedanke durchfuhr meine Brust wie ein glühender Dolchstich. – Ich las und las! – Deine Schilderung des widerwärtigen *Coppelius* ist grässlich. Erst jetzt vernahm ich, wie Dein guter alter Vater solch entsetzlichen, gewaltsamen Todes starb. Bruder Lothar, dem ich sein Eigentum zustellte, suchte mich zu beruhigen, aber es gelang ihm schlecht. Der fatale Wetterglashändler *Giuseppe Coppola* verfolgte mich auf Schritt und Tritt und beinahe schäme ich mich, es zu gestehen, dass er selbst meinen gesunden, sonst so ruhigen Schlaf in allerlei wunderlichen Traumgebilden zerstören konnte. Doch bald, schon den andern Tag, hatte sich alles anders in mir gestaltet. Sei mir nur nicht böse, mein Inniggeliebter, wenn *Lothar* Dir etwa sagen möchte, dass ich trotz Deiner seltsamen Ah-

erbrach ich öffnete ich (brach ich das Siegel auf)

wurde … inne bemerkte

kindischer kindlich ausgelassener

den Einsturz einzustürzen

Kniff Knick, Faltenwurf

nung, *Coppelius* werde Dir etwas Böses antun, ganz heitern unbefangenen Sinnes bin, wie immer.

Geradeheraus will ich es Dir nur gestehen, dass, wie ich meine, alles Entsetzliche und Schreckliche, wovon Du sprichst, nur in Deinem Innern vorging, die wahre wirkliche Außenwelt aber daran wohl wenig teilhatte. Widerwärtig genug mag der alte *Coppelius* gewesen sein, aber dass er Kinder hasste, das brachte in Euch Kindern wahren Abscheu gegen ihn hervor.

Natürlich verknüpfte sich nun in Deinem kindischen Gemüt der schreckliche Sandmann aus dem Ammenmärchen mit dem alten *Coppelius,* der Dir, glaubtest Du auch nicht an den Sandmann, ein gespenstischer, Kindern vorzüglich gefährlicher, Unhold blieb. Das unheimliche Treiben mit Deinem Vater zur Nachtzeit war wohl nichts anders, als daß beide insgeheim alchymistische Versuche machten, womit die Mutter nicht zufrieden sein konnte, da gewiss viel Geld unnütz verschleudert und obendrein, wie es immer mit solchen Laboranten der Fall sein soll, des Vaters Gemüt ganz von dem trügerischen Drange nach hoher Weisheit erfüllt, der Familie abwendig gemacht wurde. Der Vater hat wohl gewiss durch eigne Unvorsichtigkeit seinen Tod herbeigeführt, und *Coppelius* ist nicht schuld daran: Glaubst Du, dass ich den erfahrnen Nachbar Apotheker gestern frug, ob wohl bei chemischen Versuchen eine solche augenblicklich tötende Explosion möglich sei? Der sagte: »Ei allerdings« und beschrieb mir nach seiner Art gar weitläuftig und umständlich, wie das zugehen könne, und nannte dabei so viel sonderbar klingende Namen, die ich gar nicht zu behalten vermochte. – Nun wirst Du wohl unwillig werden über Deine *Clara,* Du wirst sagen: In dies kalte Gemüt dringt kein Strahl des Geheimnisvollen, das den Menschen oft mit unsichtbaren Armen umfasst; sie erschaut nur die bunte Oberfläche der Welt

kindischen kindlich-naiven

vorzüglich in besonderer Weise

alchymistische Versuche → Seite 58

Laboranten mit alchimistischen Versuchen Beschäftigen

umständlich in allen Einzelheiten

und freut sich, wie das kindische Kind über die goldgleißende Frucht, in deren Innerm tödliches Gift verborgen.

Ach mein herzgeliebter *Nathanael!* glaubst Du denn nicht, dass auch in heitern – unbefangenen – sorglosen Gemütern die Ahnung wohnen könne von einer dunklen Macht, die feindlich Uns in Unserm eignen Selbst zu verderben strebt? – Aber verzeih es mir, wenn ich einfältig Mädchen mich unterfange, auf irgendeine Weise Dir anzudeuten, was ich eigentlich von solchem Kampfe im Innern glaube. – Ich finde wohl gar am Ende nicht die rechten Worte und Du lachst mich aus, nicht, weil ich was Dummes meine, sondern weil ich mich so ungeschickt anstelle, es zu sagen.

Gibt es eine dunkle Macht, die so recht feindlich und verräterisch einen Faden in unser Inneres legt, woran sie uns dann festpackt und fortzieht auf einem gefahrvollen verderblichen Wege, den wir sonst nicht betreten haben würden – gibt es eine solche Macht, so muss sie in Uns sich, wie wir selbst gestalten, ja unser Selbst werden; denn nur *so* glauben wir an sie und räumen ihr den Platz ein, dessen sie bedarf, um jenes geheime Werk zu vollbringen. Haben wir festen, durch das heitre Leben gestärkten, Sinn genug, um fremdes feindliches Einwirken als solches stets zu erkennen und den Weg, in den uns Neigung und Beruf geschoben, ruhigen Schrittes zu verfolgen, so geht wohl jene unheimliche Macht unter in dem vergeblichen Ringen nach der Gestaltung, die unser eignes Spiegelbild sein sollte. Es ist auch gewiss, fügt *Lothar* hinzu, dass die dunkle physische Macht, haben wir uns durch uns selbst ihr hingegeben, oft fremde Gestalten, die die Außenwelt uns in den Weg wirft, in unser Inneres hineinzieht, so, dass wir selbst nur den Geist entzünden, der, wie wir in wunderlicher Täuschung glauben, aus jener Gestalt spricht. Es ist das Phantom unseres eigenen Ichs, dessen innige Verwandtschaft und dessen tiefe Einwir-

Beruf Berufung, natürliche Bestimmung

physische In Hoffmanns Manuskript steht: »psychische«; möglicherweise handelt es sich also um ein Versehen des Setzers.

Phantom Trugbild

kung auf unser Gemüt uns in die Hölle wirft, oder in den Himmel verzückt. – Du merkst, mein herzlieber *Nathanael!* dass wir, ich und Bruder *Lothar* uns recht über die Materie von dunklen Mächten und Gewalten ausgesprochen haben, die mir nun, nachdem ich nicht ohne Mühe das Hauptsächlichste aufgeschrieben, ordentlich tiefsinnig vorkommt. *Lothars* letzte Worte verstehe ich nicht ganz, ich ahne nur, was er meint, und doch ist es mir, als sei alles sehr wahr. Ich bitte Dich, schlage Dir den hässlichen Advokaten *Coppelius* und den Wetterglasmann *Giuseppe Coppola* ganz aus dem Sinn. Sei überzeugt, dass diese fremden Gestalten nichts über Dich vermögen; nur der Glaube an ihre feindliche Gewalt kann sie Dir in der Tat feindlich machen. Spräche nicht aus jeder Zeile Deines Briefes die tiefste Aufregung Deines Gemüts, schmerzte mich nicht Dein Zustand recht in innerster Seele, wahrhaftig, ich könnte über den Advokaten Sandmann und den Wetterglashändler *Coppelius* scherzen. Sei heiter – heiter! – Ich habe mir vorgenommen, bei Dir zu erscheinen, wie Dein Schutzgeist, und den hässlichen *Coppola,* sollte er es sich etwa beikommen lassen, Dir im Traum beschwerlich zu fallen, mit lautem Lachen fortzubannen. Ganz und gar nicht fürchte ich mich vor ihm und vor seinen garstigen Fäusten, er soll mir weder als Advokat eine Näscherei, noch als Sandmann die Augen verderben.

Ewig, mein herzinnigstgeliebter *Nathanael* etc. etc. etc.

* * *

die Materie das Thema

tiefsinnig tiefgründig

nichts über Dich vermögen Dir nichts anhaben können

feindlich bedrohlich

beikommen einfallen

Nathanael an Lothar

Sehr unlieb ist es mir, dass *Clara* neulich den Brief an Dich aus, freilich durch meine Zerstreutheit veranlasstem, Irrtum erbrach und las. Sie hat mir einen sehr tiefsinnigen philosophischen Brief geschrieben, worin sie ausführlich beweiset, dass *Coppelius* und *Coppola* nur in meinem Innern existieren und Phantome meines Ichs sind, die augenblicklich zerstäuben, wenn ich sie als solche, erkenne. In der Tat, man sollte gar nicht glauben, dass der Geist, der aus solch hellen holdlächelnden Kindesaugen, oft wie ein lieblicher süßer Traum, hervorleuchtet, so gar verständig, so magistermäßig distinguieren könne. Sie beruft sich auf Dich. Ihr habt über mich gesprochen. Du liesest ihr wohl logische Kollegia, damit sie alles fein sichten und sondern lerne. – Lass das bleiben! – Übrigens ist es wohl gewiss, dass der Wetterglashändler *Giuseppe Coppola* keineswegs der alte Advokat *Coppelius* ist. Ich höre bei dem erst neuerdings angekommenen Professor der Physik, der, wie jener berühmte Naturforscher, *Spalanzani* heißt und italienischer Abkunft ist, Kollegia. Der kennt den *Coppola* schon seit vielen Jahren und überdem hört man es auch seiner Aussprache an, dass er wirklich Piemonteser ist. *Coppelius* war ein Deutscher, aber wie mich dünkt, kein ehrlicher. Ganz beruhigt bin ich nicht. Haltet Ihr, Du und *Clara,* mich immerhin für einen düstern Träumer, aber nicht los kann ich den Eindruck werden, den *Coppelius'* verfluchtes Gesicht auf mich macht. Ich bin froh, dass er fort ist aus der Stadt, wie mir *Spalanzani* sagt. Dieser Professor ist ein wunderlicher Kauz. Ein kleiner rundlicher Mann, das Gesicht mit starken Backenknochen, feiner Nase, aufgeworfnen Lippen, kleinen stechenden Augen. Doch besser, als in jeder Beschreibung, siehst Du ihn, wenn Du den *Cagliostro,* wie er von *Chodowiecki* in irgendeinem Berlinischen Taschenkalender

magistermäßig lehrhaft, gelehrt (wie ein Lehrer bzw. wie ein Studierter mit Magisterabschluss)

distinguieren Unterscheidungen vornehmen, eine Sache auseinandersetzen bzw. darlegen

logische Kollegia Vorlesungen über Logik

Spalanzani → Seite 59

mich dünkt mir scheint

ehrlicher rechtmäßiger, richtiger (sondern ein Betrüger)

Cagliostro → Seite 59

Chodowiecki → Seite 59

steht, anschauest. – So sieht *Spalanzani* aus. – Neulich steige ich die Treppe herauf und nehme wahr, dass die sonst einer Glastüre dicht vorgezogene Gardine zur Seite einen kleinen Spalt lässt. Selbst weiß ich nicht, wie ich dazu kam, neugierig durchzublicken. Ein hohes, sehr schlank im reinsten Ebenmaß gewachsenes, herrlich gekleidetes Frauenzimmer saß im Zimmer vor einem kleinen Tisch, auf den sie beide Ärme, die Hände zusammengefaltet, gelegt hatte. Sie saß der Türe gegenüber, so, dass ich ihr engelschönes Gesicht ganz erblickte. Sie schien mich nicht zu bemerken, und überhaupt hatten ihre Augen etwas Starres, beinahe möcht ich sagen, keine Sehkraft, es war mir so, als schliefe sie mit offnen Augen. Mir wurde ganz unheimlich und deshalb schlich ich leise fort ins Auditorium, das daneben gelegen. Nachher erfuhr ich, dass die Gestalt, die ich gesehen, *Spalanzanis* Tochter, *Olimpia* war, die er sonderbarer und schlechter Weise einsperrt, so, dass durchaus kein Mensch in ihre Nähe kommen darf. – Am Ende hat es eine Bewandtnis mit ihr, sie ist vielleicht blödsinnig oder sonst. – Weshalb schreibe ich Dir aber das alles? Besser und ausführlicher hätte ich Dir das mündlich erzählen können. Wisse nämlich, dass ich über vierzehn Tage bei Euch bin. Ich muss mein süßes liebes Engelsbild, meine *Clara,* wiedersehen. Weggehaucht wird dann die Verstimmung sein, die sich (ich muss das gestehen) nach dem fatalen verständigen Briefe meiner bemeistern wollte. Deshalb schreibe ich auch heute nicht an sie.

Frauenzimmer Frau von gutem Stand (im Gegensatz zu ›Frauensperson‹ oder ›Weibsperson‹)

Auditorium Hörsaal

Olimpia → Seite 59

blödsinnig schwachsinnig

sonst sonst etwas

über vierzehn Tage in vierzehn Tagen

Tausend Grüße etc. etc. etc.

* * *

Seltsamer und wunderlicher kann nichts erfunden werden, als dasjenige ist, was sich mit meinem armen Freunde, dem jungen Studenten *Nathanael,* zugetragen, und was ich Dir, *günstiger Leser!* geneigter Leser! um die Gunst des Lesers werbende Anrede (›captatio benevolentiae‹)

Es gärte und kochte in Dir → Seite 59

günstiger Leser! zu erzählen unternommen. Hast Du, Geneigtester! wohl jemals etwas erlebt, das Deine Brust, Sinn und Gedanken ganz und gar erfüllte, alles andere daraus verdrängend? Es gärte und kochte in Dir, zur siedenden Glut entzündet sprang das Blut durch die Adern und färbte höher Deine Wangen. Dein Blick war so seltsam als wolle er Gestalten, keinem andern Auge sichtbar, im leeren Raum erfassen und die Rede zerfloss in dunkle Seufzer. Da frugen Dich die Freunde: »Wie ist Ihnen, Verehrter? – Was haben Sie, Teurer?« Und nun wolltest Du das innere Gebilde mit allen glühenden Farben und Schatten und Lichtern aussprechen und mühtest Dich ab, Worte zu finden, um nur anzufangen. Aber es war Dir, als müsstest Du nun gleich im ersten Wort alles Wunderbare, Herrliche, Entsetzliche, Lustige, Grauenhafte, das sich zugetragen, recht zusammengreifen, so dass es, wie ein elektrischer Schlag, alle treffe. Doch jedes Wort, alles was Rede vermag, schien Dir farblos und frostig und tot. Du suchst und suchst, und stotterst und stammelst, und die nüchternen Fragen der Freunde schlagen, wie eisige Windeshauche, hinein in Deine innere Glut, bis sie verlöschen will. Hattest Du aber, wie ein kecker Maler, erst mit einigen verwegenen Strichen, den Umriss Deines innern Bildes hingeworfen, so trugst Du mit leichter Mühe immer glühender und glühender die Farben auf und das lebendige Gewühl mannigfacher Gestalten riss die Freunde fort und sie sahen, wie Du, sich selbst mitten im Bilde, das aus Deinem Gemüt hervorgegangen! – Mich hat, wie ich es Dir, geneigter Leser! gestehen muss, eigentlich niemand nach der Geschichte des jungen *Nathanael* gefragt; Du weißt ja aber wohl, dass ich zu dem wunderlichen Geschlechte der Autoren gehöre, denen, tragen sie etwas so in sich, wie ich es vorhin beschrieben, so zu Mute wird, als frage jeder, der in ihre Nähe kommt und nebenher auch wohl noch die ganze

ein kecker Maler → Seite 60

mannigfacher verschiedenartiger

Geschlechte Sorte, Kategorie

Welt: »Was ist es denn? Erzählen Sie Liebster?« – So trieb es mich denn gar gewaltig, von *Nathanaels* verhängnisvollem Leben zu Dir zu sprechen. Das Wunderbare, Seltsame davon erfüllte meine ganze Seele, aber eben deshalb und weil ich Dich, o mein Leser! gleich geneigt machen musste, Wunderliches zu ertragen, welches nichts Geringes ist, quälte ich mich ab, *Nathanaels* Geschichte, bedeutend – originell, ergreifend, anzufangen: »Es war einmal« – der schönste Anfang jeder Erzählung, zu nüchtern! – »In der kleinen Provinzialstadt S. lebte« – etwas besser, wenigstens ausholend zum Klimax. – Oder gleich *medias in res*: »›Scher er sich zum Teufel‹, rief, Wut und Entsetzen im wilden Blick, der Student *Nathanael*, als der Wetterglashändler *Giuseppe Coppola*« – Das hatte ich in der Tat schon aufgeschrieben, als ich in dem wilden Blick des Studenten *Nathanael* etwas Possierliches zu verspüren glaubte; die Geschichte ist aber gar nicht spaßhaft. Mir kam keine Rede in den Sinn, die nur im Mindesten etwas von dem Farbenglanz des innern Bildes abzuspiegeln schien. Ich beschloss gar nicht anzufangen. Nimm, geneigter Leser! die drei Briefe, welche Freund *Lothar* mir gütigst mitteilte, für den Umriss des Gebildes, in das ich nun erzählend immer mehr und mehr Farbe hineinzutragen mich bemühen werde. Vielleicht gelingt es mir, manche Gestalt, wie ein guter Porträtmaler, so aufzufassen, dass Du es ähnlich findest, ohne das Original zu kennen, ja dass es Dir ist, als hättest Du die Person recht oft schon mit leibhaftigen Augen gesehen. Vielleicht wirst Du, o mein Leser! dann glauben, dass nichts wunderlicher und toller sei, als das wirkliche Leben und dass dieses der Dichter doch nur, wie in eines matt geschliffnen Spiegels dunklem Widerschein, auffassen könne.

Damit klarer werde, was gleich anfangs zu wissen nötig, ist jenen Briefen noch hinzuzufügen, dass bald darauf, als

gleich ebenso, gleichermaßen

Provinzialstadt Verwaltungszentrum einer Provinz

Klimax stufenweise Steigerung (als rhetorisches Mittel)

medias in res (lat.) unmittelbar zur Sache kommend

etwas Possierliches etwas Possenhaftes (etwas Derbkomisches, halb Absurdes)

mitteilte (leihweise) überließ

Nathanaels Vater gestorben, *Clara* und *Lothar*, Kinder eines weitläuftigen Verwandten, der ebenfalls gestorben und sie verwaist nachgelassen, von *Nathanaels* Mutter ins Haus genommen wurden. *Clara* und *Nathanael* fassten eine heftige Zuneigung zueinander, wogegen kein Mensch auf Erden etwas einzuwenden hatte; sie waren daher Verlobte, als *Nathanael* den Ort verließ um seine Studien in G. – fortzusetzen. Da ist er nun in seinem letzten Briefe und hört Kollegia bei dem berühmten Professor Physices, *Spalanzani*.

Nun könnte ich getrost in der Erzählung fortfahren; aber in dem Augenblick steht *Claras* Bild so lebendig mir vor Augen, dass ich nicht wegschauen kann, so wie es immer geschah, wenn sie mich holdlächelnd anblickte. – Für schön konnte *Clara* keinesweges gelten; das meinten alle, die sich von Amtswegen auf Schönheit verstehen. Doch lobten die Architekten die reinen Verhältnisse ihres Wuchses, die Maler fanden Nacken, Schultern und Brust beinahe zu keusch geformt, verliebten sich dagegen sämtlich in das wunderbare Magdalenenhaar und faselten überhaupt viel von Battonischem Kolorit. Einer von ihnen, ein wirklicher Fantast, verglich aber höchstseltsamerweise *Claras* Augen mit einem See von Ruisdael, in dem sich des wolkenlosen Himmels reines Azur, Wald- und Blumenflur, der reichen Landschaft ganzes buntes, heitres Leben spiegelt. Dichter und Meister gingen aber weiter und sprachen: »Was See – was Spiegel! – Können wir denn das Mädchen anschauen, ohne dass uns aus ihrem Blick wunderbare himmlische Gesänge und Klänge entgegenstrahlen, die in unser Innerstes dringen, dass da alles wach und rege wird? Singen wir selbst dann nichts wahrhaft Gescheutes, so ist überhaupt nicht viel an uns und das lesen wir denn auch deutlich in dem um *Claras* Lippen schwebenden feinen Lächeln, wenn wir uns unterfangen, ihr etwas vorzuquinkelieren, das so tun will als sei es Ge-

nachgelassen zurückgelassen

Kollegia bei dem berühmten Professor Physices Vorlesungen bei dem berühmten Professor der Naturgeschichte (griech. ›physike‹ bedeutet ›Erforschung der Naturphänomene‹)

das wunderbare Magdalenenhaar […] von Battonischem Kolorit → Seite 60

Ruisdael → Seite 60

Azur Himmelsblau

Meister Tonmeister, Komponisten (in der Handschrift der Erzählung steht: »Musiker«)

Gescheutes Gescheites

vorzuquinkelieren mit gekünstelter Stimme vorzusingen

sang, unerachtet nur einzelne Töne verworren durcheinander springen.« Es war dem so. *Clara* hatte die lebenskräftige Fantasie des heitern unbefangenen, kindischen Kindes, ein tiefes weiblich zartes Gemüt, einen gar hellen scharf sichtenden Verstand. Die Nebler und Schwebler hatten bei ihr böses Spiel; denn ohne zu viel zu reden, was überhaupt in *Claras* schweigsamer Natur nicht lag, sagte ihnen der helle Blick, und jenes feine ironische Lächeln: Lieben Freunde! wie möget ihr mir denn zumuten, dass ich eure verfließende Schattengebilde für wahre Gestalten ansehen soll, mit Leben und Regung? – *Clara* wurde deshalb von vielen kalt, gefühllos, prosaisch gescholten; aber andere, die das Leben in klarer Tiefe aufgefasst, liebten ungemein das gemütvolle, verständige, kindliche Mädchen, doch keiner so sehr, als *Nathanael,* der sich in Wissenschaft und Kunst kräftig und heiter bewegte. *Clara* hing an dem Geliebten mit ganzer Seele; die ersten Wolkenschatten zogen durch ihr Leben, als er sich von ihr trennte. Mit welchem Entzücken flog sie in seine Arme, als er nun, wie er im letzten Briefe an *Lothar* es verheißen, wirklich in seiner Vaterstadt ins Zimmer der Mutter eintrat. Es geschah so wie *Nathanael* geglaubt; denn in dem Augenblick, als er *Clara* wiedersah, dachte er weder an den Advokaten *Coppelius,* noch an *Claras* verständigen Brief, jede Verstimmung war verschwunden.

Nebler und Schwebler Fantasten, Schaumschläger, Eiferer

prosaisch unpoetisch, allzu nüchtern und sachlich, oberflächlich

sich von ihr trennte gemeint ist: zum Studium fortging

Recht hatte aber *Nathanael* doch, als er seinem Freunde *Lothar* schrieb, dass des widerwärtigen Wetterglashändlers *Coppola* Gestalt recht feindlich in sein Leben getreten sei. Alle fühlten das, da *Nathanael* gleich in den ersten Tagen in seinem ganzen Wesen durchaus verändert sich zeigte. Er versank in düstre Träumereien, und trieb es bald so seltsam, wie man es niemals von ihm gewohnt gewesen. Alles, das ganze Leben war ihm Traum und Ahnung geworden; immer sprach er davon, wie jeder Mensch, sich frei wähnend, nur dunklen Mächten zum grausamen Spiel diene, vergeblich lehne man sich dagegen auf, demütig müsse man sich dem fügen, was das Schicksal verhängt habe. Er ging so weit, zu behaupten, dass es töricht sei, wenn man glaube, in Kunst und Wissenschaft nach selbsttätiger Willkür zu schaffen; denn die Begeisterung, in der man nur zu schaffen fähig sei, komme nicht aus dem eignen Innern, sondern sei das Einwirken irgendeines außer uns selbst liegenden höheren Prinzips.

Der verständigen *Clara* war diese mystische Schwärmerei im höchsten Grade zuwider, doch schien es vergebens, sich auf Widerlegung einzulassen. Nur dann, wenn *Nathanael* bewies, dass *Coppelius* das böse Prinzip sei, was ihn in dem Augenblick erfasst habe, als er hinter dem Vorhange lauschte, und dass dieser widerwärtige *Dämon* auf entsetzliche Weise ihr Liebesglück stören werde, da wurde *Clara* sehr ernst und sprach: »Ja *Nathanael!* du hast recht, *Coppelius* ist ein böses feindliches Prinzip, er kann Entsetzliches wirken, wie eine teuflische Macht, die sichtbarlich in das Leben trat, aber nur dann, wenn du ihn nicht aus Sinn und Gedanken verbannst. Solange du an ihn glaubst, *ist* er auch und wirkt, nur dein Glaube ist seine Macht.« – *Nathanael,* ganz erzürnt, dass *Clara* die Existenz des *Dämons* nur in seinem eignen Innern statuiere, wollte dann hervorrücken mit der ganzen mystischen Lehre von Teufeln und grausen Mächten, *Clara* brach aber verdrüsslich ab, indem sie irgendetwas Gleichgültiges dazwischenschob, zu *Nathanaels* nicht geringem Ärger. *Der* dachte, kalten unempfänglichen Gemütern erschließen sich <nicht> solche tiefe Geheimnisse, ohne sich deutlich bewusst zu sein, dass er *Clara* eben zu solchen untergeordneten Naturen zähle, weshalb er nicht abließ mit Versuchen, sie in jene Geheimnisse einzuweihen. Am frühen Morgen, wenn *Clara* das Frühstück bereiten half, stand er

nach selbsttätiger Willkür ganz frei in seinen Entscheidungen

mystische Schwärmerei → Seite 60

das böse Prinzip die Ursache allen Übels; letztlich: der Teufel

wirken bewirken

statuiere annehme, voraussetze

mystischen dunklen, geheimnisvollen

grausen starke Furcht und Abscheu erweckenden

bereiten zuzubereiten

bei ihr und las ihr aus allerlei mystischen Büchern vor, dass *Clara* bat: »Aber lieber *Nathanael,* wenn ich *dich* nun das böse Prinzip schelten wollte, das feindlich auf meinen Kaffee wirkt? – Denn, wenn ich, wie du es willst, alles stehen und liegen lassen und dir, indem du liesest, in die Augen schauen soll, so läuft mir der Kaffee ins Feuer und ihr bekommt alle kein Frühstück!« – *Nathanael* klappte das Buch heftig zu und rannte voll Unmut fort in sein Zimmer. Sonst hatte er eine besondere Stärke in anmutigen, lebendigen Erzählungen, die er aufschrieb, und die *Clara* mit dem innigsten Vergnügen anhörte, jetzt waren seine Dichtungen düster, unverständlich, gestaltlos, so dass, wenn *Clara* schonend es auch nicht sagte, er doch wohl fühlte, wie wenig sie davon angesprochen wurde. Nichts war für *Clara* tötender, als das Langweilige; in Blick und Rede sprach sie dann ihre nicht zu besiegende geistige Schläfrigkeit aus. *Nathanaels* Dichtungen waren in der Tat sehr langweilig. Sein Verdruss über *Claras* kaltes prosaisches Gemüt stieg höher, *Clara* konnte ihren Unmut über *Nathanaels* dunkle, düstere, langweilige Mystik nicht überwinden, und so entfernten beide im Innern sich immer mehr voneinander, ohne es selbst zu bemerken. Die Gestalt des hässlichen *Coppelius* war, wie *Nathanael* selbst es sich gestehen musste, in seiner Fantasie erbleicht und es kostete ihm oft Mühe, ihn in seinen Dichtungen, wo er als grauser Schicksalspopanz auftrat, recht lebendig zu kolorieren. Es kam ihm endlich ein, jene düstre Ahnung, dass *Coppelius* sein Liebesglück stören werde, zum Gegenstande eines Gedichts zu machen. Er stellte sich und *Clara* dar, in treuer Liebe verbunden, aber dann und wann war es, als griffe eine schwarze Faust in ihr Leben und risse irgendeine Freude heraus, die ihnen aufgegangen. Endlich, als sie schon am Traualtar stehen, erscheint der entsetzliche *Coppelius* und berührt *Claras* holde Augen; *die* springen in

Sonst Bisher

Popanz künstlich hergestellte Schreckgestalt

Es kam ihm endlich ein Zuletzt kam er auf den Gedanken

Nathanaels Brust wie blutige Funken sengend und brennend, *Coppelius* fasst ihn und wirft ihn in einen flammenden Feuerkreis, der sich dreht mit der Schnelligkeit des Sturmes und ihn sausend und brausend fortreißt. Es ist ein Tosen, als wenn der Orkan grimmig hineinpeitscht in die schäumenden Meereswellen, die sich wie schwarze, weißhauptige Riesen emporbäumen in wütendem Kampfe. Aber durch dies wilde Tosen hört er *Claras* Stimme: »Kannst du mich denn nicht erschauen? *Coppelius* hat dich getäuscht, das waren ja nicht meine Augen, die so in deiner Brust brannten, das waren ja glühende Tropfen deines eignen Herzbluts – ich habe ja meine Augen, sieh mich doch nur an!« – *Nathanael* denkt: Das ist *Clara,* und ich bin ihr Eigen ewiglich. – Da ist es, als fasst der Gedanke gewaltig in den Feuerkreis hinein, dass er stehen bleibt, und im schwarzen Abgrund verrauscht dumpf das Getöse. *Nathanael* blickt in *Claras* Augen; aber es ist der Tod, der mit *Claras* Augen ihn freundlich anschaut.

in einen flammenden Feuerkreis → Seite 60

ihr Eigen ihr Eigentum

Während *Nathanael* dies dichtete, war er sehr ruhig und besonnen, er feilte und besserte an jeder Zeile und da er sich dem metrischen Zwange unterworfen, ruhte er nicht, bis alles rein und wohlklingend sich fügte. Als er jedoch nun endlich fertig worden, und das Gedicht für sich laut las, da fasste ihn Grausen und wildes Entsetzen und er schrie auf. »Wessen grauenvolle Stimme ist das?« – Bald schien ihm jedoch das Ganze wieder nur eine sehr gelungene Dichtung, und es war ihm, als müsse *Claras* kaltes Gemüt dadurch entzündet werden, wiewohl er nicht deutlich dachte, wozu denn *Clara* entzündet, und wozu es denn nun eigentlich führen solle, sie mit den grauenvollen Bildern zu ängstigen, die ein entsetzliches, ihre Liebe zerstörendes Geschick weissagten. Sie, *Nathanael* und *Clara,* saßen in der Mutter kleinem Garten, *Clara* war sehr heiter, weil *Nathanael* sie seit drei Tagen, in denen er an jener Dichtung schrieb, nicht mit seinen Träu-

da er sich dem metrischen Zwange unterworfen da er sich darauf versteift hatte, seine gesamte Dichtung in ein regelmäßiges Metrum zu überführen

fertig worden fertig geworden

men und Ahnungen geplagt hatte. Auch *Nathanael* sprach lebhaft und froh von lustigen Dingen wie sonst, so, dass *Clara* sagte: »Nun erst habe ich dich ganz wieder, siehst du es wohl, wie wir den hässlichen *Coppelius* vertrieben haben?« Da fiel dem *Nathanael* erst ein, dass er ja die Dichtung in der Tasche trage, die er habe vorlesen wollen. Er zog auch sogleich die Blätter hervor und fing an zu lesen: *Clara,* etwas Langweiliges wie gewöhnlich vermutend und sich darein ergebend, fing an, ruhig zu stricken. Aber so wie immer schwärzer und schwärzer das düstre Gewölk aufstieg, ließ sie den Strickstrumpf sinken und blickte starr dem *Nathanael* ins Auge. *Den* riss seine Dichtung unaufhaltsam fort, hochrot färbte seine Wangen die innere Glut, Tränen quollen ihm aus den Augen – Endlich hatte er geschlossen, er stöhnte in tiefer Ermattung – er fasste *Claras* Hand und seufzte wie aufgelöst in trostlosem Jammer: »Ach! – *Clara* – *Clara*« – *Clara* drückte ihn sanft an ihren Busen und sagte leise, aber sehr langsam und ernst: »*Nathanael* – mein herzlieber *Nathanael!* – wirf das tolle – unsinnige – wahnsinnige Märchen ins Feuer.« Da sprang *Nathanael* entrüstet auf und rief, *Clara* von sich stoßend: »Du lebloses, verdammtes Automat!« Er rannte fort, bittre Tränen vergoss die tief verletzte *Clara*: »Ach er hat mich niemals geliebt, denn er versteht mich nicht«, schluchzte sie laut. – *Lothar* trat in die Laube; *Clara* musste ihm erzählen was vorgefallen; er liebte seine Schwester mit ganzer Seele, jedes Wort ihrer Anklage fiel wie ein Funke in sein Inneres, so, dass der Unmut, den er wider den träumerischen *Nathanael* lange im Herzen getragen, sich entzündete zum wilden Zorn. Er lief zu *Nathanael,* er warf ihm das unsinnige Betragen gegen die geliebte Schwester in harten Worten vor, die der aufbrausende *Nathanael* ebenso erwiderte. Ein fantastischer, wahnsinniger Geck wurde mit einem miserablen, gemeinen Alltags-

sich darein ergebend sich damit abfindend

geschlossen seine Lesung beendet

verdammtes Automat verdammter Roboter; ›Automat‹ war damals noch ein Neutrum

wider gegen

menschen erwidert. Der Zweikampf war unvermeidlich. Sie beschlossen, sich am folgenden Morgen hinter dem Garten nach dortiger akademischer Sitte mit scharfgeschliffenen Stoßrapieren zu schlagen. Stumm und finster schlichen sie umher, *Clara* hatte den heftigen Streit gehört und gesehen, dass der Fechtmeister in der Dämmerung die Rapiere brachte. Sie ahnte was geschehen sollte. Auf dem Kampfplatz angekommen hatten *Lothar* und *Nathanael* soeben düsterschweigend die Röcke abgeworfen, blutdürstige Kampflust im brennenden Auge wollten sie gegeneinander ausfallen, als *Clara* durch die Gartentür herbeistürzte. Schluchzend rief sie laut: »Ihr wilden entsetzlichen Menschen! – stoßt mich nur gleich nieder, ehe ihr euch anfallt; denn wie soll ich denn länger leben auf der Welt, wenn der Geliebte den Bruder, oder wenn der Bruder den Geliebten ermordet hat!« – *Lothar* ließ die Waffe sinken und sah schweigend zur Erde nieder, aber in *Nathanaels* Innern ging in herzzerreißender Wehmut alle Liebe wieder auf, wie er sie jemals in der herrlichen Jugendzeit schönsten Tagen für die holde *Clara* empfunden. Das Mordgewehr entfiel seiner Hand, er stürzte zu *Claras* Füßen. »Kannst du mir denn jemals verzeihen, du meine einzige, meine herzgeliebte *Clara!* – Kannst du mir verzeihen, mein herzlieber Bruder *Lothar!*« – *Lothar* wurde gerührt von des Freundes tiefem Schmerz; unter tausend Tränen umarmten sich die drei versöhnten Menschen und schwuren, nicht voneinander zu lassen in steter Liebe und Treue.

Dem *Nathanael* war es zu Mute, als sei eine schwere Last, die ihn zu Boden gedrückt, von ihm abgewälzt, ja als habe er, Widerstand leistend der finstern Macht, die ihn befangen, sein ganzes Sein, dem Vernichtung drohte, gerettet. Noch drei selige Tage verlebte er bei den Lieben, dann kehrte er zurück nach G., wo er noch ein Jahr zu bleiben, dann aber auf immer nach seiner Vaterstadt zurückzukehren gedachte.

nach dortiger akademischer Sitte nach den unausgesprochenen Gesetzen der dortigen Studentenschaft

Stoßrapieren Stoßdegen; Fechtwaffen mit schmalen, geraden Klingen

Fechtmeister Fechtlehrer

gegeneinander ausfallen beim Fechten: zum Angriff übergehen

Das Mordgewehr Die mörderische Waffe (›Gewehr‹ wurde lange auch als allgemeine Bezeichnung für ›Waffe‹ gebraucht.)

Bruder Lothar ist ja der Pflegesohn von Nathanaels Mutter; ›Bruder‹ war jedoch auch eine übliche Anrede für einen Kommilitonen, einen Mitstudenten.

nach seiner in seine

Der Mutter war alles, was sich auf *Coppelius* bezog, verschwiegen worden; denn man wusste, dass sie nicht ohne Entsetzen an ihn denken konnte, weil sie, wie *Nathanael,* ihm den Tod ihres Mannes Schuld gab.

den Tod ihres Mannes Schuld am Tod ihres Mannes die Schuld

* * *

Wie erstaunte *Nathanael,* als er in seine Wohnung wollte und sah, dass das ganze Haus niedergebrannt war, so dass aus dem Schutthaufen nur die nackten Feuermauern hervorragten. Unerachtet das Feuer in dem Laboratorium des Apothekers, der im untern Stocke wohnte, ausgebrochen war, das Haus daher von unten herauf gebrannt hatte, so war es doch den kühnen, rüstigen Freunden gelungen, noch zu rechter Zeit in *Nathanaels* im obern Stock gelegenes Zimmer zu dringen, und Bücher, Manuskripte, Instrumente zu retten. Alles hatten sie unversehrt in ein anderes Haus getragen, und dort ein Zimmer in Beschlag genommen, welches *Nathanael* nun sogleich bezog. Nicht sonderlich achtete er darauf, dass er dem Professor *Spalanzani* gegenüber wohnte, und ebenso wenig schien es ihm etwas Besonderes, als er bemerkte, dass er aus seinem Fenster gerade hinein in das Zimmer blickte, wo oft *Olimpia* einsam saß, so, dass er ihre Figur deutlich erkennen konnte, wiewohl die Züge des Gesichts undeutlich und verworren blieben. Wohl fiel es ihm endlich auf, dass *Olimpia* oft stundenlang in derselben Stellung, wie er sie einst durch die Glastüre entdeckte, ohne irgendeine Beschäftigung an einem kleinen Tische saß und dass sie offenbar unverwandten Blickes nach ihm herüberschaute; er musste sich auch selbst gestehen, dass er nie einen schöneren Wuchs gesehen; indessen, *Clara* im Herzen, blieb ihm die steife, starre *Olimpia* höchst gleichgültig und nur zuweilen sah er flüchtig über sein Kompendium herüber

Unerachtet Ungeachtet des Umstands, dass

rüstigen schnell entschlossenen und körperlich kräftigen

Kompendium (lat.) kurzgefasstes Lehrbuch

nach der schönen Bildsäule, das war alles. – Eben schrieb er an *Clara,* als es leise an die Türe klopfte; sie öffnete sich auf seinen Zuruf und *Coppolas* widerwärtiges Gesicht sah hinein. *Nathanael* fühlte sich im Innersten erbeben; eingedenk dessen, was ihm *Spalanzani* über den Landsmann *Coppola* gesagt und was er auch rücksichts des Sandmanns *Coppelius* der Geliebten so heilig versprochen, schämte er sich aber selbst seiner kindischen Gespensterfurcht, nahm sich mit aller Gewalt zusammen und sprach so sanft und gelassen, als möglich: »Ich kaufe kein Wetterglas, mein lieber Freund! gehen Sie nur!« Da trat aber *Coppola* vollends in die Stube und sprach mit heiserem Ton, indem sich das weite Maul zum hässlichen Lachen verzog und die kleinen Augen unter den grauen langen Wimpern stechend hervorfunkelten: »Ei, nix Wetterglas, nix Wetterglas! – hab auch sköne Oke – sköne Oke!« – Entsetzt rief *Nathanael:* »Toller Mensch, wie kannst du Augen haben? – Augen – Augen? –« Aber in dem Augenblick hatte *Coppola* seine Wettergläser beiseite gesetzt, griff in die weiten Rocktaschen und holte Lorgnetten und Brillen heraus, die er auf den Tisch legte. – »Nu – Nu – Brill – Brill auf der Nas su setze, das sein meine Oke – sköne Oke!« – Und damit holte er immer mehr und mehr Brillen heraus, so, dass es auf dem ganzen Tisch seltsam zu flimmern und zu funkeln begann. Tausend Augen blickten und zuckten krampfhaft und starrten auf zum *Nathanael;* aber er konnte nicht wegschauen von dem Tisch, und immer mehr Brillen legte *Coppola* hin, und immer wilder und wilder sprangen flammende Blicke durcheinander und schossen ihre blutrote Strahlen in *Nathanaels* Brust. Übermannt von tollem Entsetzen schrie er auf: »halt ein! halt ein, fürchterlicher Mensch!« – Er hatte *Coppola,* der eben in die Tasche griff, um noch mehr Brillen herauszubringen, unerachtet schon der ganze Tisch überdeckt war, beim Arm festgepackt. *Cop-*

rücksichts des in Bezug auf den

sköne Oke deutsch-italienisches Kauderwelsch (ital. ›occhi‹: ›Augen‹)

Rocktaschen Taschen der langen Jacke, die damals die Standardoberbekleidung von Männern war und als ›Rock‹ bezeichnet wurde

Lorgnetten Brillen mit Stielgriff

pola machte sich mit heiserem widrigen Lachen sanft los und mit den Worten: »Ah! – nix für Sie – aber hier sköne Glas« – hatte er alle Brillen zusammengerafft, eingesteckt und aus der Seitentasche des Rocks eine Menge großer und kleiner Perspektive hervorgeholt. Sowie die Brillen fort waren, wurde *Nathanael* ganz ruhig und an *Clara* denkend sah er wohl ein, dass der entsetzliche Spuk nur aus seinem Innern hervorgegangen, sowie dass *Coppola* ein höchst ehrlicher Mechanikus und Optikus, keinesweges aber *Coppelii* verfluchter Doppeltgänger und Revenant sein könne. Zudem hatten alle Gläser, die *Coppola* nun auf den Tisch gelegt, gar nichts Besonderes, am wenigsten so etwas Gespenstisches wie die Brillen und, um alles wiedergutzumachen, beschloss *Nathanael* dem *Coppola* jetzt wirklich etwas abzukaufen. Er ergriff ein kleines sehr sauber gearbeitetes Taschenperspektiv und sah, um es zu prüfen, durch das Fenster. Noch im Leben war ihm kein Glas vorgekommen, das die Gegenstände so rein, scharf und deutlich dicht vor die Augen rückte. Unwillkürlich sah er hinein in *Spalanzanis* Zimmer; *Olimpia* saß, wie gewöhnlich, vor dem kleinen Tisch, die Ärme darauf gelegt, die Hände gefaltet. – Nun erschaute *Nathanael* erst *Olimpias* wunderschön geformtes Gesicht. Nur die Augen schienen ihm gar seltsam starr und tot. Doch wie er immer schärfer und schärfer durch das Glas hinschaute, war es, als gingen in *Olimpias* Augen feuchte Mondesstrahlen auf. Es schien, als wenn nun erst die Sehkraft entzündet würde; immer lebendiger und lebendiger flammten die Blicke. *Nathanael* lag wie festgezaubert im Fenster, immer fort und fort die himmlisch-schöne *Olimpia* betrachtend. Ein Räuspern und Scharren weckte ihn, wie aus tiefem Traum. *Coppola* stand hinter ihm: »*Tre Zechini* – drei Dukat« – *Nathanael* hatte den Optikus rein vergessen, rasch zahlte er das Verlangte. »Nick so? – sköne Glas – sköne Glas!« frug *Coppola* mit sei-

Perspektive einäugige, oft auch ausziehbare Fernrohre; das erste Doppelfernrohr kam 1822 auf den Markt

Coppelii des Coppelius

Revenant Wiedergänger; Gespenst aus einer anderen Welt bzw. Geist eines Toten, das/der die Lebenden heimsucht

Tre Zechini (eigentl. ›zecchini‹) (ital.) Drei Zechinen (Zechinen sind alte venezianische Goldmünzen.)

Dukat andere, in Europa insgesamt verbreitetere Bezeichnung für Zechine

rein vollkommen

ner widerwärtigen heisern Stimme und dem hämischen Lächeln. »Ja ja, ja!« erwiderte *Nathanael* verdrießlich. »Adieu, lieber Freund!« – *Coppola* verließ nicht ohne viele seltsame Seitenblicke auf *Nathanael*, das Zimmer. Er hörte ihn auf der Treppe laut lachen. »Nun ja«, meinte *Nathanael*, »er lacht mich aus, weil ich ihm das kleine Perspektiv gewiss viel zu teuer bezahlt habe – zu teuer bezahlt!« – Indem er diese Worte leise sprach, war es, als halle ein tiefer Todesseufzer grauenvoll durch das Zimmer, *Nathanaels* Atem stockte vor innerer Angst. – Er hatte ja aber selbst so aufgeseufzt, das merkte er wohl. *Clara*, sprach er zu sich selber, hat wohl recht, dass sie mich für einen abgeschmackten Geisterseher hält; aber närrisch ist es doch – ach wohl mehr, als närrisch, dass mich der dumme Gedanke, ich hätte das Glas dem *Coppola* zu teuer bezahlt, noch jetzt so sonderbar ängstigt; den Grund davon sehe ich gar nicht ein. – Jetzt setzte er sich hin, um den Brief an *Clara* zu enden, aber ein Blick durchs Fenster überzeugte ihn, dass *Olimpia* noch dasäße und im Augenblick, wie von unwiderstehlicher Gewalt getrieben, sprang er auf, ergriff *Coppolas* Perspektiv und konnte nicht los von *Olimpias* verführerischem Anblick, bis ihn Freund und Bruder *Siegmund* abrief ins Kollegium bei dem Professor *Spalanzani*. Die Gardine vor dem verhängnisvollen Zimmer war dicht zugezogen, er konnte *Olimpia* ebenso wenig hier, als die beiden folgenden Tage hindurch in ihrem Zimmer, entdecken, unerachtet er kaum das Fenster verließ und fortwährend durch *Coppolas* Perspektiv hinüberschaute. Am dritten Tage wurden sogar die Fenster verhängt. Ganz verzweifelt und getrieben von Sehnsucht und glühendem Verlangen lief er hinaus vors Tor. *Olimpias* Gestalt schwebte vor ihm her in den Lüften und trat aus dem Gebüsch, und guckte ihn an mit großen strahlenden Augen, aus dem hellen Bach. *Claras* Bild war ganz aus seinem Innern gewichen, er dachte

abgeschmackten albernen, törichten

Bruder hier: Kommilitone, Studienkollege

Kollegium (lat.) eigentlich ›Kolleg‹; Vorlesung an einer Hochschule

Tor Stadttor

nichts, als *Olimpia* und klagte ganz laut und weinerlich: Ach du mein hoher herrlicher Liebesstern, bist du mir denn nur aufgegangen, um gleich wieder zu verschwinden, und mich zu lassen in finstrer hoffnungsloser Nacht?

Als er zurückkehren wollte in seine Wohnung, wurde er in *Spalanzanis* Hause ein geräuschvolles Treiben gewahr. Die Türen standen offen, man trug allerlei Geräte hinein, die Fenster des ersten Stocks waren ausgehoben, geschäftige Mägde kehrten und stäubten mit großen Haarbesen hin- und herfahrend, inwendig klopften und hämmerten Tischler und Tapezierer. *Nathanael* blieb in vollem Erstaunen auf der Straße stehen; da trat *Siegmund* lachend zu ihm und sprach: »Nun, was sagst du zu unserem alten *Spalanzani?*« *Nathanael* versicherte, dass er gar nichts sagen könne, da er durchaus nichts vom Professor wisse, vielmehr mit großer Verwunderung wahrnehme, wie in dem stillen düstern Hause ein tolles Treiben und Wirtschaften losgegangen; da erfuhr er denn von *Siegmund,* dass *Spalanzani* morgen ein großes Fest geben wolle, Konzert und Ball, und dass die halbe Universität eingeladen sei. Allgemein verbreite man, dass *Spalanzani* seine Tochter *Olimpia,* die er so lange jedem menschlichen Auge recht ängstlich entzogen, zum ersten Mal erscheinen lassen werde.

wurde er … gewahr bemerkte er

stäubten kehrten den Staub aus

inwendig im Hause

Nathanael fand eine Einladungskarte und ging mit hochklopfendem Herzen zur bestimmten Stunde, als schon die Wagen rollten und die Lichter in den geschmückten Sälen schimmerten, zum Professor. Die Gesellschaft war zahlreich und glänzend. *Olimpia* erschien sehr reich und geschmackvoll gekleidet. Man musste ihr schöngeformtes Gesicht, ihren Wuchs bewundern. Der etwas seltsam eingebogene Rücken, die wespenartige Dünne des Leibes schien von zu starkem Einschnüren bewirkt zu sein. In Schritt und Stellung hatte sie etwas Abgemessenes und Steifes, das manchem un-

fand fand zu Hause … vor

bestimmten angegebenen

von zu starkem Einschnüren → Seite 60

angenehm auffiel; man schrieb es dem Zwange zu, den ihr die Gesellschaft auflegte. Das Konzert begann. *Olimpia* spielte den Flügel mit großer Fertigkeit und trug ebenso eine Bravour-Arie mit heller, beinahe schneidender Glasglockenstimme vor. *Nathanael* war ganz entzückt; er stand in der hintersten Reihe und konnte im blendenden Kerzenlicht *Olimpias* Züge nicht ganz erkennen. Ganz unvermerkt nahm er deshalb *Coppolas* Glas hervor und schaute hin nach der schönen *Olimpia*. Ach! – da wurde er gewahr, wie sie voll Sehnsucht nach ihm herübersah, wie jeder Ton erst deutlich aufging in dem Liebesblick, der zündend sein Inneres durchdrang. Die künstlichen Rouladen schienen dem *Nathanael* das Himmelsjauchzen des in Liebe verklärten Gemüts, und als nun endlich nach der Kadenz der lange Trillo recht schmetternd durch den Saal gellte, konnte er wie von glühenden Ärmen plötzlich erfasst sich nicht mehr halten, er musste vor Schmerz und Entzücken laut aufschreien: *»Olimpia!«* – Alle sahen sich um nach ihm, manche lachten. Der Domorganist schnitt aber noch ein finstreres Gesicht, als vorher und sagte bloß: »Nun nun!« – Das Konzert war zu Ende, der Ball fing an. »Mit ihr zu tanzen! – mit ihr!« das war nun dem *Nathanael* das Ziel aller Wünsche, alles Strebens; aber wie sich erheben zu dem Mut, sie, die Königin des Festes, aufzufordern? Doch! – er selbst wusste nicht wie es geschah, dass er, als schon der Tanz angefangen, dicht neben *Olimpia* stand, die noch nicht aufgefordert worden, und dass er, kaum vermögend einige Worte zu stammeln, ihre Hand ergriff. Eiskalt war *Olimpias* Hand, er fühlte sich durchbebt von grausigem Todesfrost, er starrte *Olimpia* ins Auge, das strahlte ihm voll Liebe und Sehnsucht entgegen und in dem Augenblick war es auch, als fingen an in der kalten Hand Pulse zu schlagen und des Lebensblutes Ströme zu glühen. Und auch in *Nathanaels* Innerm glühte höher auf die Liebes-

auflegte auferlegte

Bravour-Arie auf virtuose Wirkung abzielende Gesangsnummer (meist für Frauenstimme)

Glasglocken-Stimme Stimme mit hellem, von keinen Emotionen ›getrübtem‹ Ton; ›Glasglocken‹ waren gläserne Gefäße in Gestalt einer Glocke, die im Garten über manche Gewächse gestülbt wurden.

künstlichen kunstvollen, virtuosen

Rouladen ›rollende Läufe‹, mit denen die Melodie in der Gesangskunst vor allem des 17. und 18. Jahrhunderts ausgeschmückt wird

Kadenz virtuose Schlussimprovisation des Solisten ohne Instrumentalbegleitung

Trillo (ital.) Triller

lust, er umschlang die schöne *Olimpia* und durchflog mit ihr die Reihen. – Er glaubte sonst recht taktmäßig getanzt zu haben, aber an der ganz eignen rhythmischen Festigkeit, womit *Olimpia* tanzte und die ihn oft ordentlich aus der Haltung brachte, merkte er bald, wie sehr ihm der Takt gemangelt. Er wollte jedoch mit keinem andern Frauenzimmer mehr tanzen und hätte jeden, der sich *Olimpia* näherte, um sie aufzufordern, nur gleich ermorden mögen. Doch nur zweimal geschah dies, zu seinem Erstaunen blieb darauf *Olimpia* bei jedem Tanze sitzen und er ermangelte nicht, immer wieder sie aufzuziehen. Hätte *Nathanael* außer der schönen *Olimpia* noch etwas anders zu sehen vermocht, so wäre allerlei fataler Zank und Streit unvermeidlich gewesen; denn offenbar ging das halbleise, mühsam unterdrückte Gelächter, was sich in diesem und jenem Winkel unter den jungen Leuten erhob, auf die schöne *Olimpia,* die sie mit ganz kuriosen Blicken verfolgten, man konnte gar nicht wissen, warum? Durch den Tanz und durch den reichlich genossenen Wein erhitzt, hatte *Nathanael* alle ihm sonst eigne Scheu abgelegt. Er saß neben *Olimpia,* ihre Hand in der seinigen und sprach hochentflammt und begeistert von seiner Liebe in Worten, die keiner verstand, weder er, noch *Olimpia.* Doch diese vielleicht; denn sie sah ihm unverrückt ins Auge und seufzte einmal übers andere: »Ach – Ach – Ach!« – worauf denn *Nathanael* also sprach: »O du herrliche, himmlische Frau! – du Strahl aus dem verheißenen Jenseits der Liebe – du tiefes Gemüt, in dem sich mein ganzes Sein spiegelt« und noch mehr dergleichen, aber *Olimpia* seufzte bloß immer wieder: »Ach, Ach!« – Der Professor *Spalanzani* ging einige Mal bei den Glücklichen vorüber und lächelte sie ganz seltsam zufrieden an. Dem *Nathanael* schien es, unerachtet er sich in einer ganz andern Welt befand, mit einem Mal, als würd es hienieden beim Professor *Spalanzani* merklich fins-

aufzuziehen für den nächsten Tanz vom Stuhl hochzuziehen; für den Leser klingt aber auch mit an: den Mechanismus eines Automaten wieder in Gang zu bringen

auf die schöne auf Kosten der schönen

kuriosen neugierigen, belustigten

also folgendermaßen

bei an

hienieden hier unten

ter; er schaute um sich und wurde zu seinem nicht geringen Schreck gewahr, dass eben die zwei letzten Lichter in dem leeren Saal herniederbrennen und ausgehen wollten. Längst hatten Musik und Tanz aufgehört. »Trennung, Trennung«, schrie er ganz wild und verzweifelt, er küsste *Olimpias* Hand, er neigte sich zu ihrem Munde, eiskalte Lippen begegneten seinen glühenden! – So wie, als er *Olimpias* kalte Hand berührte, fühlte er sich von innerem Grausen erfasst, die Legende von der toten Braut ging ihm plötzlich durch den Sinn; aber fest hatte ihn *Olimpia* an sich gedrückt, und in dem Kuss schienen die Lippen zum Leben zu erwarmen. – Der Professor *Spalanzani* schritt langsam durch den leeren Saal, seine Schritte klangen hohl wieder und seine Figur, von flackernden Schlagschatten umspielt, hatte ein grauliches gespenstisches Ansehen. »Liebst du mich – liebst du mich *Olimpia?* – Nur dies Wort! – Liebst du mich?« So flüsterte *Nathanael*, aber *Olimpia* seufzte, indem sie aufstand, nur: »Ach – Ach!« – »Ja du mein holder, herrlicher Liebesstern«, sprach *Nathanael,* »bist mir aufgegangen und wirst leuchten, wirst verklären mein Inneres immerdar!« – »Ach, ach!« replizierte *Olimpia* fortschreitend. *Nathanael* folgte ihr, sie standen vor dem Professor. »Sie haben sich außerordentlich lebhaft mit meiner Tochter unterhalten«, sprach dieser lächelnd: »Nun, nun, lieber Herr *Nathanael,* finden Sie Geschmack daran, mit dem blöden Mädchen zu konversieren, so sollen mir Ihre Besuche willkommen sein.« – Einen ganzen hellen strahlenden Himmel in der Brust schied *Nathanael* von dannen: *Spalanzanis* Fest war der Gegenstand des Gesprächs in den folgenden Tagen. Unerachtet der Professor alles getan hatte, recht splendid zu erscheinen, so wussten doch die lustigen Köpfe von allerlei Unschicklichem und Sonderbarem zu erzählen, das sich begeben, und vorzüglich fiel man über die todstarre, stumme *Olimpia* her, der man,

die Legende von der toten Braut → Seite 61

Schlagschatten Fachbegriff der Malerei: der deutlich konturierte Schatten, den ein hell erleuchteter Gegenstand wirft

grauliches Grauen erweckendes

verklären veredeln, dem Überirdischen annähern

replizierte antwortete

blöden schüchternen

zu konversieren sich … zu unterhalten

splendid freigebig, glanzvoll

ihres schönen Äußern unerachtet, totalen Stumpfsinn andichten und darin die Ursache finden wollte, warum *Spalanzani* sie so lange verborgen gehalten. *Nathanael* vernahm das nicht ohne innern Grimm, indessen schwieg er; denn, dachte er, würde es wohl verlohnen, diesen Burschen zu beweisen, dass eben ihr eigner Stumpfsinn es ist, der sie *Olimpias* tiefes herrliches Gemüt zu erkennen hindert? »Tu mir den Gefallen Bruder«, sprach eines Tages *Siegmund,* »tu mir den Gefallen und sage, wie es dir gescheuten Kerl möglich war, dich in das Wachsgesicht, in die Holzpuppe da drüben zu vergaffen?« *Nathanael* wollte zornig auffahren, doch schnell besann er sich und erwiderte: »Sage *du* mir *Siegmund,* wie deinem, sonst alles Schöne klar auffassenden Blick, deinem regen Sinn, *Olimpias* himmlischer Liebreiz entgehen konnte? Doch eben deshalb habe ich, Dank sei es dem Geschick, dich nicht zum Nebenbuhler; denn sonst müsste einer von uns blutend fallen.« *Siegmund* merkte wohl, wie es mit dem Freunde stand, lenkte geschickt ein, und fügte, nachdem er geäußert, dass in der Liebe niemals über den Gegenstand zu richten sei, hinzu: »Wunderlich ist es doch, dass viele von uns über *Olimpia* ziemlich gleich urteilen. Sie ist uns – nimm es nicht übel, Bruder! – auf seltsame Weise starr und seelenlos erschienen. Ihr Wuchs ist regelmäßig, so wie ihr Gesicht, das ist wahr! – Sie könnte für schön gelten, wenn ihr Blick nicht so ganz ohne Lebensstrahl, ich möchte sagen, ohne Sehkraft wäre. Ihr Schritt ist sonderbar abgemessen, jede Bewegung scheint durch den Gang eines aufgezogenen Räderwerks bedingt. Ihr Spiel, ihr Singen hat den unangenehm richtigen geistlosen Takt der singenden Maschine und ebenso ist ihr Tanz. Uns ist diese *Olimpia* ganz unheimlich geworden, wir mochten nichts mit ihr zu schaffen haben, es war uns als tue sie nur so wie ein lebendiges Wesen und doch habe es mit ihr eine eigne Be-

gescheuten gescheitem

Hieroglyphe der innern Welt Zauberzeichen eines unausschöpflichen seelischen Reichtums; ›Hieroglyphe‹ ist in dieser Bedeutung ein Schlüsselbegriff der literarischen Romantik.

Sympathie, von psychischer Wahlverwandtschaft Die zeitgenössische Naturphilosophie verglich die Anziehungskraft zwischen bestimmten chemischen Elementen gern mit einer ›Seelenverwandtschaft‹ zwischen Menschen (vgl. Goethes Roman »Die Wahlverwandtschaften«, von 1808).

Sonetten Das Sonett ist eine vierstrophige Gedichtform, die aus 14 jambischen Verszeilen (zwei Quartetten und zwei Terzetten) besteht und sich besonders für ›Gedankenlyrik‹ eignet.

Stanzen Die Stanze ist eine Strophenform italienischer

wandtnis.« – *Nathanael* gab sich dem bittern Gefühl, das ihn bei diesen Worten *Siegmunds* ergreifen wollte, durchaus nicht hin, er wurde Herr seines Unmuts und sagte bloß sehr ernst: »Wohl mag euch, ihr kalten prosaischen Menschen, *Olimpia* unheimlich sein. Nur dem poetischen Gemüt entfaltet sich das gleich organisierte! – Nur *mir* ging ihr Liebesblick auf und durchstrahlte Sinn und Gedanken, nur in *Olimpias* Liebe finde ich mein Selbst wieder. Euch mag es nicht recht sein, dass sie nicht in platter Konversation faselt, wie die andern flachen Gemüter. Sie spricht wenig Worte, das ist wahr; aber diese wenigen Worte erscheinen als echte Hieroglyphe der innern Welt voll Liebe und hoher Erkenntnis des geistigen Lebens in der Anschauung des ewigen Jenseits. Doch für Alles das habt ihr keinen Sinn und alles sind verlorne Worte.« – »Behüte dich Gott, Herr Bruder«, sagte *Siegmund* sehr sanft, beinahe wehmütig, »aber mir scheint es, du seist auf bösem Wege. Auf mich kannst du rechnen, wenn alles – Nein, ich mag nichts weiter sagen! –« Dem *Nathanael* war es plötzlich, als meine der kalte prosaische *Siegmund* es sehr treu mit ihm, er schüttelte daher die ihm dargebotene Hand recht herzlich. –

Nathanael hatte rein vergessen, dass es eine *Clara* in der Welt gebe, die er sonst geliebt; – die Mutter – *Lothar* – Alle waren aus seinem Gedächtnis entschwunden, er lebte nur für *Olimpia,* bei der er täglich stundenlang saß und von seiner Liebe, von zum Leben erglühter Sympathie, von psychischer Wahlverwandtschaft fantasierte, welches alles *Olimpia* mit großer Andacht anhörte. Aus dem tiefsten Grunde des Schreibpults holte *Nathanael* alles hervor, was er jemals geschrieben. Gedichte, Fantasien, Visionen, Romane, Erzählungen, das wurde täglich vermehrt mit allerlei ins Blaue fliegenden Sonetten, Stanzen, Kanzonen, und das alles las er der *Olimpia* stundenlang hintereinander vor, ohne zu ermüden. Aber auch noch nie hatte er eine solche herrliche Zuhörerin gehabt. Sie stickte und strickte nicht, sie sah nicht durchs Fenster, sie fütterte keinen Vogel, sie spielte mit keinem Schoßhündchen, mit keiner Lieblingskatze, sie drehte kein Papierschnitzchen, oder sonst etwas in der Hand, sie durfte kein Gähnen durch einen leisen erzwungenen Husten bezwingen – Kurz! – Stundenlang sah sie mit starrem Blick unverwandt dem Geliebten ins Auge, ohne sich zu rücken und zu bewegen und immer glühender, immer lebendiger wurde dieser Blick. Nur wenn *Nathanael* endlich aufstand und ihr die Hand, auch wohl den Mund küsste, sagte sie: »Ach, Ach!« – dann aber: »Gute Nacht, mein Lieber!« – »O du herrliches, du tiefes Gemüt«, rief *Nathanael* auf seiner Stube: »nur von dir, von dir allein werd ich ganz verstanden.« Er erbebte vor innerm Entzücken, wenn er bedachte, welch wunderbarer Zusammenklang sich in seinem und *Olimpias* Gemüt täglich mehr offenbare; denn es schien ihm, als habe *Olimpia* über seine Werke, über seine Dichtergabe überhaupt recht tief aus seinem Innern gesprochen, ja als habe die Stimme aus seinem Innern selbst herausgetönt. Das musste denn wohl auch sein; denn mehr Worte als vorhin erwähnt, sprach *Olimpia* niemals. Erinnerte sich aber auch *Nathanael* in hellen nüchternen Augenblicken, z. B. morgens gleich nach dem Erwachen, wirklich an *Olimpias* gänzliche Passivität und Wortkargheit, so sprach er doch: »Was sind Worte – Worte! – Der Blick ihres himmlischen Auges sagt mehr als jede Sprache hienieden. Vermag denn überhaupt ein Kind des Himmels sich einzuschichten in den engen Kreis, den ein klägliches irdisches Bedürfnis gezogen?« – Professor *Spalanzani* schien hocherfreut über das Verhältnis seiner Tochter mit *Nathanael;* er gab diesem allerlei unzweideutige Zeichen seines Wohlwollens und als es *Nathanael* endlich wagte von ferne auf eine Verbindung mit *Olimpia*

Herkunft mit 8 Verszeilen in fünffüßigen Jamben und dem Versschema: abababcc.

Kanzonen (S. 40) Die Kanzone ist ein mehrstrophiges gesungenes Lied, das seinen Ursprung im provençalischen (südfranzösischen) Minnesang hat.

durfte musste

anzuspielen, lächelte dieser mit dem ganzen Gesicht und meinte: Er werde seiner Tochter völlig freie Wahl lassen. – Ermutigt durch diese Worte, brennendes Verlangen im Herzen, beschloss *Nathanael,* gleich am folgenden Tage *Olimpia* anzuflehen, dass sie das unumwunden in deutlichen Worten ausspreche, was längst ihr holder Liebesblick ihm gesagt, dass sie sein Eigen immerdar sein wolle. Er suchte nach dem Ringe, den ihm beim Abschiede die Mutter geschenkt, um ihn *Olimpia* als Symbol seiner Hingebung, seines mit ihr aufkeimenden, blühenden Lebens darzureichen. *Claras, Lothars* Briefe fielen ihm dabei in die Hände; gleichgültig warf er sie beiseite, fand den Ring, steckte ihn ein und rannte herüber zu *Olimpia.* Schon auf der Treppe, auf dem Flur, vernahm er ein wunderliches Getöse; es schien aus *Spalanzanis* Studierzimmer herauszuschallen. – Ein Stampfen – ein Klirren – ein Stoßen – Schlagen gegen die Tür, dazwischen Flüche und Verwünschungen. »Lass los – lass los – Infamer – Verruchter! – Darum Leib und Leben daran gesetzt? – ha ha ha ha! – so haben wir nicht gewettet – ich, ich hab die Augen gemacht – ich das Räderwerk – dummer Teufel mit deinem Räderwerk – verfluchter Hund von einfältigem Uhrmacher – fort mit dir – Satan – halt – Peipendreher – teuflische Bestie! – halt – fort – lass los!« – Es waren *Spalanzanis* und des grässlichen *Coppelius* Stimmen, die so durcheinanderschwirrten und tobten. Hinein stürzte *Nathanael* von namenloser Angst ergriffen. Der Professor hatte eine weibliche Figur bei den Schultern gepackt, der Italiener *Coppola* bei den Füßen, die zerrten und zogen sie hin und her, streitend in voller Wut um den Besitz. Voll tiefen Entsetzens prallte *Nathanael* zurück, als er die Figur für *Olimpia* erkannte; aufflammend in wildem Zorn wollte er den Wütenden die Geliebte entreißen, aber in dem Augenblick wand *Coppola* sich mit Riesenkraft drehend die Figur dem Professor aus den

Infamer Niederträchtiger, Unverschämter, Ehrloser

Peipendreher In Hoffmanns Manuskript steht »Püppendreher« (›Drechsler von Holzpuppen‹). Auch ›Piependreher‹ (›Betrüger, Gaukler‹) ergäbe einen Sinn, »Peipendreher« jedoch ergibt keinen. So handelt es sich wohl um einen Fehler des Setzers.

für … erkannte als … identifizierte

Wütenden außer sich Geratenen, Rasenden

Händen und versetzte ihm mit der Figur selbst einen fürchterlichen Schlag, dass er rücklings über den Tisch, auf dem Phiolen, Retorten, Flaschen, gläserne Zylinder standen, taumelte und hinstürzte; alles Gerät klirrte in tausend Scherben zusammen. Nun warf *Coppola* die Figur über die Schulter und rannte mit fürchterlich gellendem Gelächter rasch fort die Treppe herab, so dass die hässlich herunterhängenden Füße der Figur auf den Stufen hölzern klapperten und dröhnten. – Erstarrt stand *Nathanael* – nur zu deutlich hatte er gesehen, *Olimpias* toderbleichtes Wachsgesicht hatte keine Augen, statt ihrer schwarze Höhlen; sie war eine leblose Puppe. *Spalanzani* wälzte sich auf der Erde, Glasscherben hatten ihm Kopf, Brust und Arm zerschnitten, wie aus Springquellen strömte das Blut empor. Aber er raffte seine Kräfte zusammen. – »Ihm nach – ihm nach, was zauderst du? – *Coppelius* – *Coppelius,* mein bestes Automat hat er mir geraubt – Zwanzig Jahre daran gearbeitet – Leib und Leben daran gesetzt – das Räderwerk – Sprache – Gang – mein – die Augen – die Augen dir gestohlen. – Verdammter – Verfluchter – ihm nach – hol mir *Olimpia* – da hast du die Augen! –« Nun sah *Nathanael,* wie ein Paar blutige Augen auf dem Boden liegend ihn anstarrten, die ergriff *Spalanzani* mit der unverletzten Hand und warf sie nach ihm, dass sie seine Brust trafen. – Da packte ihn der Wahnsinn mit glühenden Krallen und fuhr in sein Inneres hinein Sinn und Gedanken zerreißend. »Hui – hui – hui! – *Feuerkreis* – *Feuerkreis!* dreh dich *Feuerkreis* – lustig – lustig! – Holzpüppchen hui schön Holzpüppchen dreh dich –« damit warf er sich auf den Professor und drückte ihm die Kehle zu. Er hätte ihn erwürgt, aber das Getöse hatte viele Menschen herbeigelockt, die drangen ein, rissen den wütenden *Nathanael* auf und retteten so den Professor, der gleich verbunden wurde. *Siegmund,* so stark er war, vermochte nicht den Rasenden zu bändigen;

Phiolen kugelförmige Glasflaschen mit langem Hals

Retorten rundliche Destillationsgefäße aus Glas mit gebogenem, schmalem Hals der schrie mit fürchterlicher Stimme immerfort: »Holzpüppchen dreh dich« und schlug um sich mit geballten Fäusten. Endlich gelang es der vereinten Kraft mehrerer, ihn zu überwältigen, indem sie ihn zu Boden warfen und banden. Seine Worte gingen unter in entsetzlichem tierischen Gebrüll. So in grässlicher Raserei tobend wurde er nach dem Tollhause gebracht. –

Ehe ich, günstiger Leser! Dir zu erzählen fortfahre, was sich weiter mit dem unglücklichen *Nathanael* zugetragen, kann ich Dir, solltest Du einigen Anteil an dem geschickten Mechanikus und Automat-Fabrikanten *Spalanzani* nehmen, versichern, dass er von seinen Wunden völlig geheilt wurde. Er musste indes die Universität verlassen, weil *Nathanaels* Geschichte Aufsehen erregt hatte und es allgemein für gänzlich unerlaubten Betrug gehalten wurde, vernünftigen Teezirkeln (*Olimpia* hatte sie mit Glück besucht) statt der lebendigen Person eine Holzpuppe einzuschwärzen. Juristen nannten es sogar einen feinen und umso härter zu bestrafenden Betrug, als er gegen das Publikum gerichtet und so schlau angelegt worden, dass kein Mensch (ganz kluge Studenten ausgenommen) es gemerkt habe, unerachtet jetzt alle weise tun und sich auf allerlei Tatsachen berufen wollten, die ihnen verdächtig vorgekommen. Diese letzteren brachten aber eigentlich nichts Gescheutes zutage. Denn konnte z. B. wohl irgendjemanden verdächtig vorgekommen sein, dass nach der Aussage eines eleganten Teeisten *Olimpia* gegen alle Sitte öfter genieset, als gegähnt hatte? Ersteres, meinte der Elegant, sei das Selbstaufziehen des verborgenen Triebwerks gewesen, merklich habe es dabei geknarrt u. s. w. Der Professor der Poesie und Beredsamkeit nahm eine Prise, klappte die Dose zu, räusperte sich und sprach feierlich: »Hochzuverehrende Herren und Damen! merken Sie denn nicht, wo der Hase im Pfeffer liegt? Das Ganze ist eine Alle-

nach dem Tollhause ins Irrenhaus

Automat-Fabrikanten Automatenhersteller

indes indessen, jedoch

vernünftigen Teezirkeln Der Spott über die geselligen Zusammenkünfte von Teilen des Bildungsbürgertums, bei denen wohl zuweilen auch etwas philisterhaft über Kunst und Kultur gesprochen und geurteilt wurde, gehört zum Standardrepertoire romantischer Gesellschaftssatire (etwa auch bei Tieck, Eichendorff und Heine).

mit Glück erfolgreich, ohne ›aufzufliegen‹

einzuschwärzen einzuschmuggeln

das Publikum die Öffentlichkeit

Elegant modebewusste, selbstgefällige Herr

Prise Prise Schnupftabak

gorie – eine fortgeführte Metapher! – Sie verstehen mich! – *Sapienti sat!*« Aber viele hochzuverehrende Herren beruhigten sich nicht dabei; die Geschichte mit dem Automat hatte tief in ihrer Seele Wurzel gefasst und es schlich sich in der Tat abscheuliches Misstrauen gegen menschliche Figuren ein. Um nun ganz überzeugt zu werden, dass man keine Holzpuppe liebe, wurde von mehrern Liebhabern verlangt, dass die Geliebte etwas taktlos singe und tanze, dass sie beim Vorlesen sticke, stricke, mit dem Möpschen spiele u. s. w. vor allen Dingen aber, dass sie nicht bloß höre, sondern auch manchmal in *der* Art spreche, dass dies Sprechen wirklich ein Denken und Empfinden voraussetze. Das Liebesbündnis vieler wurde fester und dabei anmutiger, andere dagegen gingen leise auseinander. »Man kann wahrhaftig nicht dafürstehen«, sagte dieser und jener. In den Tees wurde unglaublich gegähnt und niemals genieset, um jedem Verdacht zu begegnen. – *Spalanzani* musste, wie gesagt, fort, um der Kriminaluntersuchung wegen der menschlichen Gesellschaft betrüglicherweise eingeschobenen Automats zu entgehen. *Coppola* war auch verschwunden. –

Nathanael erwachte wie aus schwerem, fürchterlichem Traum, er schlug die Augen auf und fühlte wie ein unbeschreibliches Wonnegefühl mit sanfter himmlischer Wärme ihn durchströmte. Er lag in seinem Zimmer in des Vaters Hause auf dem Bette, *Clara* hatte sich über ihn hingebeugt und unfern standen die Mutter und *Lothar*. »Endlich, endlich, o mein herzlieber *Nathanael* – nun bist du genesen von schwerer Krankheit – nun bist du wieder mein!« – So sprach *Clara* recht aus tiefer Seele und fasste den *Nathanael* in ihre Arme. Aber dem quollen vor lauter Wehmut und Entzücken die hellen glühenden Tränen aus den Augen und er stöhnte tief auf: »Meine – meine *Clara!*« – *Siegmund,* der getreulich ausgeharrt bei dem Freunde in großer Not, trat herein.

eine Allegorie – eine fortgeführte Metapher → Seite 61

Sapienti sat! (lat.) Genug für den Verständigen! (Der Eingeweihte bedarf keiner weiteren Erklärung.)

Möpschen Schoßhündchen

dafürstehen dafür einstehen, bürgen

In den Tees Bei den Teegesellschaften

Kriminaluntersuchung wegen … eingeschobenen Automats → Seite 61

Coppola war auch verschwunden. – → Seite 61

Nathanael reichte ihm die Hand: »Du treuer Bruder hast mich doch nicht verlassen.« – Jede Spur des Wahnsinns war verschwunden, bald erkräftigte sich *Nathanael* in der sorglichen Pflege der Mutter, der Geliebten, der Freunde. Das Glück war unterdessen in das Haus eingekehrt; denn ein alter karger Oheim, von dem niemand etwas gehofft, war gestorben und hatte der Mutter nebst einem nicht unbedeutenden Vermögen ein Gütchen in einer angenehmen Gegend unfern der Stadt hinterlassen. Dort wollten sie hinziehen, die Mutter, *Nathanael* mit seiner *Clara,* die er nun zu heiraten gedachte, und *Lothar. Nathanael* war milder, kindlicher geworden, als er je gewesen und erkannte nun erst recht *Claras* himmlisch reines, herrliches Gemüt. Niemand erinnerte ihn auch nur durch den leisesten Anklang an die Vergangenheit. Nur, als *Siegmund* von ihm schied, sprach *Nathanael:* »Bei Gott Bruder! ich war auf schlimmen Wege, aber zu rechter Zeit leitete mich ein Engel auf den lichten Pfad! – Ach es war ja *Clara!* –« *Siegmund* ließ ihn nicht weiterreden, aus Besorgnis, tief verletzende Erinnerungen möchten ihm zu hell und flammend aufgehen. – Es war an der Zeit, dass die vier glücklichen Menschen nach dem Gütchen ziehen wollten. Zur Mittagsstunde gingen sie durch die Straßen der Stadt. Sie hatten manches eingekauft, der hohe Ratsturm warf seinen Riesenschatten über den Markt. »Ei!« sagte *Clara:* »steigen wir doch noch einmal herauf und schauen in das ferne Gebirge hinein!« Gesagt, getan! Beide, *Nathanael* und *Clara,* stiegen herauf, die Mutter ging mit der Dienstmagd nach Hause, und *Lothar,* nicht geneigt, die vielen Stufen zu erklettern, wollte unten warten. Da standen die beiden Liebenden Arm in Arm auf der höchsten Galerie des Turmes und schauten hinein in die duftigen Waldungen, hinter denen das blaue Gebirge, wie eine Riesenstadt, sich erhob.

karger Oheim geiziger Onkel

Gütchen kleines Gut; ländlicher Besitz mit Äckern und Wiesen

nach dem auf das

der hohe Ratsturm warf seinen Riesenschatten über den Markt → Seite 61

Da standen die beiden Liebenden → Seite 61

duftigen duftenden

»Sieh doch den sonderbaren kleinen grauen Busch, der ordentlich auf uns loszuschreiten scheint«, frug *Clara*. – *Nathanael* fasste mechanisch nach der Seitentasche; er fand *Coppolas* Perspektiv, er schaute seitwärts – *Clara* stand vor dem Glase! – Da zuckte es krampfhaft in seinen Pulsen und Adern – totenbleich starrte er *Clara* an, aber bald glühten und sprühten Feuerströme durch die rollenden Augen, grässlich brüllte er auf, wie ein gehetztes Tier; dann sprang er hoch in die Lüfte und grausig dazwischen lachend schrie er in schneidendem Ton: »Holzpüppchen dreh dich – Holzpüppchen dreh dich« – und mit gewaltiger Kraft fasste er *Clara* und wollte sie herabschleudern, aber *Clara* krallte sich in verzweifelnder Todesangst fest an das Geländer. *Lothar* hörte den Rasenden toben, er hörte *Claras* Angstgeschrei, grässliche Ahnung durchflog ihn, er rannte herauf, die Tür der zweiten Treppe war verschlossen – stärker hallte *Claras* Jammergeschrei. Unsinnig vor Wut und Angst stieß er gegen die Tür, die endlich aufsprang – Matter und matter wurden nun *Claras* Laute: »Hülfe – rettet – rettet –« so erstarb die Stimme in den Lüften. »Sie ist hin – ermordet von dem Rasenden«, so schrie *Lothar*. Auch die Tür zur Galerie war zugeschlagen. – Die Verzweiflung gab ihm Riesenkraft, er sprengte die Tür aus den Angeln. Gott im Himmel – *Clara* schwebte von dem rasenden *Nathanael* erfasst über der Galerie in den Lüften – nur mit einer Hand hatte sie noch die Eisenstäbe umklammert. Rasch wie der Blitz erfasste *Lothar* die Schwester, zog sie hinein, und schlug in demselben Augenblick mit geballter Faust dem Wütenden ins Gesicht, dass er zurückprallte und die Todesbeute fallen ließ.

Wütenden Tobenden, Irren

Lothar rannte herab, die ohnmächtige Schwester in den Armen. – Sie war gerettet. – Nun raste *Nathanael* herum auf der Galerie und sprang hoch in die Lüfte und schrie »*Feuerkreis* dreh dich – *Feuerkreis* dreh dich« – Die Menschen liefen auf das wilde Geschrei zusammen; unter ihnen ragte riesengroß der Advokat *Coppelius* hervor, der eben in die Stadt gekommen und gerades Weges nach dem Markt geschritten war. Man wollte herauf, um sich des Rasenden zu bemächtigen, da lachte *Coppelius* sprechend: »ha ha – wartet nur, der kommt schon herunter von selbst«, und schaute wie die Übrigen hinauf. *Nathanael* blieb plötzlich wie erstarrt stehen, er bückte sich herab, wurde den *Coppelius* gewahr und mit dem gellenden Schrei: »Ha! Sköne Oke – Sköne Oke«, sprang er über das Geländer. –

Als *Nathanael* mit zerschmettertem Kopf auf dem Steinpflaster lag, war *Coppelius* im Gewühl verschwunden. –

Nach mehreren Jahren will man in einer entfernten Gegend *Clara* gesehen haben, wie sie mit einem freundlichen Mann, Hand in Hand vor der Türe eines schönen Landhauses saß und vor ihr zwei muntre Knaben spielten. Es wäre daraus zu schließen, dass *Clara* das ruhige häusliche Glück noch fand, das ihrem heitern lebenslustigen Sinn zusagte und das ihr der im Innern zerrissene *Nathanael* niemals hätte gewähren können.

Nachtstücke

herausgegeben

von

dem Verfasser der Fantasiestücke

in Callots Manier.

Erster Theil.

Berlin, 1817.
In der Realschulbuchhandlung.

Zur Textgestalt

E. T. A. Hoffmanns Erzählung »Der Sandmann« ist vermutlich Mitte November 1815 in sehr kurzer Zeit entstanden; das erhalten gebliebene Manuskript weist viele Merkmale von Eile und Flüchtigkeit auf.

Die Erzählung eröffnet die zweibändige Sammlung »Nachtstücke herausgegeben von dem Verfasser der Fantasiestücke in Callots Manier«. Der erste Band erschien im Oktober 1816. Der Innentitel enthielt allerdings die vordatierte Jahresangabe ›1817‹, wie auf der Abbildung aus der Erstausgabe auf Seite 51 dieses Buchs zu sehen ist. Der zweite Band folgte im November 1817. Beide Bände der »Nachtstücke« kamen in Berlin in der ›Realschulbuchhandlung‹ von Georg Andreas Reimer heraus, der seit etwa 1810 der wichtigste Verleger der Autoren war, die der literarischen Romantik zugerechnet wurden.

Vor der Drucklegung des ersten Bands unterzog Hoffmann den Text einer Überarbeitung. Auf einige bedeutende Änderungen, die er dabei vornahm, wird in den Erläuterungen ab Seite 55 dieses Bands näher eingegangen.

Der Text der vorliegenden Ausgabe folgt dem Erstdruck der Erzählung im ersten Band der »Nachtstücke« (S. 1–82). Die konsequente Kursivierung von Eigennamen, auf die in neueren Ausgaben oft verzichtet wird, ist hier beibehalten worden, zumal sie die Beschäftigung mit den Figuren durchaus erleichtert. Anführungszeichen bei wörtlicher Rede, die im Original ohne erkennbares Prinzip mal gesetzt sind und dann wieder fehlen, sind in dieser Ausgabe ergänzt worden, wo der Leser sie erwartet. Das fördert den Lesefluss, ohne den Text zu verfälschen.

Die Rechtschreibung ist an den heutigen Stand angepasst. Zeichensetzung und Lautstand blieben jedoch unangetastet, wie es sich heutzutage bei Neuausgaben älterer Werke als editorische (herausgeberische) Praxis weitgehend durchgesetzt hat. So sind Formen wie

»Ärme«, »frug«, »schrob«, »verdrüsslich«, »sichtbarlich«, »Doppeltgänger«, »ruchtbar«, »weitläuftig«, »buschigten« (bzw. »knotigten« und »haarigten«), »keinesweges« (und ähnlich »gerades Weges«) oder »zähnfletschend« unverändert aus dem Originaltext übernommen. Dagegen wurde »ächte« in »echte« geändert, ebenso »ämsig« in »emsig« und »Kobolten« in »Kobolden«, weil diese Eingriffe keinen (oder zumindest nur einen sehr geringen) Einfluss auf die Aussprache haben.

Besondere Betonungen einzelner Wörter hat Hoffmann durch Kursivierungen (vgl. etwa S. 26, Z. 23 und 28) und machmal auch durch Großschreibung angezeigt. Im zweiten Fall ist es jedoch oft schwer zu entscheiden, ob es sich tatsächlich um eine bewusste Hervorhebung oder aber um eine einfache Abweichung von der heutigen Groß- und Kleinschreibung handelt. So wird, um nur das wichtigste Beispiel anzuführen, »alle« oder »alles« in vielen Texten der Zeit mehr oder weniger durchgehend großgeschrieben (ganz konsequent ist die Rechtschreibung um 1800 so gut wie nie). Relativ eindeutig sind die Stellen, in denen ein Wort auf engem Raum einmal groß und einmal klein auftaucht (vgl. S. 18, Z. 6, 14 und 17, sowie S. 40, Z. 14). Bei weniger eindeutigen Stellen wurde im Zweifelsfall auf die (möglicherweise irrtümliche) Hervorhebung eines Wortes durch Großschreibung verzichtet.

Erläuterungen

S. 5 Clara Hoffmann bedient sich gerne sogenannter sprechender Vornamen: ›Clara‹ bedeutet ›klar‹, ›hellsichtig‹, ›vernünftig‹.
mein holdes Engelsbild Nathanael schwärmt die von ihm geliebten Frauen mit Kosenamen an, die sie ins Unwirkliche des Engelhaften entrücken. Das zeigt sich nicht nur bei Clara, sondern später auch bei Olimpia. Weil er sie nicht wirklich wahrnimmt, sondern nur das ihm vorschwebende Bild einer idealen Geliebten auf sie projiziert, sind die geliebten Frauen für ihn leicht austauschbar.
Geisterseher Im gewöhnlichen Sinn ist ein Geisterseher ein Fantast, ein Mensch mit überhitzter Fantasie, der Geister sieht, wo keine sind (weil sie nicht existieren). In diesem Sinne ist der Begriff hier gebraucht. Als Geisterseher wurden jedoch auch – mit einer Aura des Unheimlichen umgebene – Menschen bezeichnet, die von sich behaupteten, dass sie in der Lage seien, Kontakt mit Geistern aufzunehmen oder Geister herbeizubeschwören. Auf die romantische Generation, die der einseitigen – und zuweilen auch platten – Vernunftbetontheit des Aufklärungszeitalters überdrüssig war, übten solche Gestalten eine große Faszination aus. Friedrich Schillers fragmentarischer Roman »Der Geisterseher« (1787–1789) bediente die entsprechenden Bedürfnisse des jüngeren Lesepublikums. Hoffmann schätzte den Roman sehr. In seiner Erzählung »Das Majorat« (im zweiten Band der »Nachtstücke«) lässt er den Ich-Erzähler sagen, dass er Schillers »Geisterseher« »wie damals jeder, der nur irgend dem Romantischen ergeben, in der Tasche trug«.
um 12 Uhr Die Mittagsstunde ist im Volksglauben die Zeit für außernatürliche Ereignisse, in der griechischen Mythologie gilt sie als die Stunde des ›panischen Schreckens‹; und auch das katastrophale, im Zeichen des Wahnsinns stehende Ende der Erzählung »Der Sandmann« ereignet sich wiederum »[z]ur Mittagsstunde« (S. 46, Z. 22).

S. 6 wie Franz Moor den Daniel Anspielung auf Friedrich Schillers Erstlingsdrama »Die Räuber« (Uraufführung 1782), in dem Franz Moor, der sich kaltblütig viel zuschulden hat kommen lassen und schließlich doch von Gewissensbissen geplagt wird, in Szene V, 1 seinen alten Diener Daniel bittet, ihn »derb« auszulachen, um seine Alpträume zu vertreiben.

S. 9 Coppelius Auch Coppelius (vgl. später auch Coppola) ist ein sprechender Name. Er klingt an die italienischen Bezeichnungen für ›Augenhöhle‹ (›coppo‹), ›Schmelztiegel‹ (›coppella‹) und ›Begattung‹ (›copula‹) an. Das Verb ›coppellare‹ ist ein alchimistischer Fachbegriff und bedeutet ›läutern‹. All diese Begriffe lassen sich auf zentrale Elemente der Handlung und Eigenschaften des diabolischen Rechtsanwalts (und seines vermeintlichen Alter Egos, des italienischen Wetterglashändlers und Komplizen von Spalanzani) beziehen.

S. 10 in einem altmodisch zugeschnittenen aschgrauen Rocke Die Unheimlichkeit des Advokaten wird durch seine aus der Zeit gefallene Kleidung unterstrichen. Die Farbe Grau bringt der Volksglauben mit dem Teufel in Verbindung.

S. 12 »Augen her, Augen her!« Dieser Ausruf ist ein Beispiel für die Doppelbödigkeit vieler Einzelheiten der Erzählung: Der Handel mit ausgerissenen Augen ist ein altes Märchenmotiv. Auch spielen Augen bei der Herstellung von Elixieren (Zaubertränken; 1815/16 veröffentlichte Hoffmann einen Roman mit dem Titel »Die Elixiere des Teufels«) und anderen magischen Handlungen traditionell eine große Rolle. – In der Alchemie dient das Wort ›Augen‹ jedoch auch zur Bezeichnung bestimmter Arten von Erz, die für manche alchimistische Experimente benötigt wurden (vgl. Barbara Neymeyr: E. T. A. Hoffmann. Der Sandmann. Braunschweig: Schroedel Verlag 2014, S. 63).

Mechanismus der Hände und der Füße Hier klingen Vorstellungen des französischen Arztes und Philosophen Julien Offray de La Mettrie (1709–1751) an, der seinerzeit eine europäische Berühmtheit war. Der frankophile und intellektuelle preußische König Friedrich II. (der Große) ließ ihn als Mitglied der Preußischen Akademie der Wissenschaften in Berlin an seinen Hof nach Potsdam berufen, wo er auch starb. In seinem Hauptwerk »L'homme machine« (1748) vertrat er die Auffassung, der Mensch sei ein rein materielles Wesen, das nach den Gesetzen der Mechanik funktioniere.

hitziges Fieber seinerzeit gängige Bezeichnung für eine mit hohem Fieber einhergehende Erkrankung. Auch der Hinweis auf das ›hitzige Fieber‹ eröffnet unterschiedliche Deutungsmöglichkeiten: Entweder ist das traumatische Erlebnis selbst ein aus der Angst vor dem Sandmann erwachsener Fiebertraum gewesen (dann hat Clara mit ihrer nüchternen psychologischen Erklärung recht) oder es ist eine psychosomatische Reaktion auf die Misshandlung des Kindes durch den gefürchteten Gast des Vaters; und auch wenn die Szene tatsächlich stattgefunden hat, muss sie natürlich nicht so stattgefunden haben, wie sie das vor Angst starre, seiner Sinne kaum mehr mächtige Kind erlebte bzw. im Rückblick erinnerte.

S. 13 Coppelius ließ sich nicht mehr sehen, es hieß, er habe die Stadt verlassen. An dieser Stelle findet sich im Manuskript der Erzählung eine zusätzliche Episode, die Hoffmann, als er den Text für den Druck überarbeitete, weggelassen hat:

»Wie gesagt, Coppelius ließ sich nicht mehr sehen, mein Vater schien unbefangen und heiter, nicht mit einer Sylbe wurde [des Vorfalls gedacht] meiner Neugierde, die ich so schwer büßen mußte erwähnt. – Ich war vierzehn [Jahre alt worden], meine [kleine] jüngste Schwester, der Mutter treues Ebenbild, [sanft] anmuthig, sanft und gut wie sie, sechs Jahr alt worden, ich liebte sie sehr, und so geschah es, daß ich oft mit ihr spielte. So saß ich einst mit ihr in unserer ziemlich einsamen Straße vor der Hausthür, und ließ ihre Puppen miteinander sprechen, so daß sie in kindischer Lust lachte und jauchzte / Da stand mit einem Mahl der verhaßte Coppelius vor uns – Was wollen Sie hier? – Sie haben hier nichts zu suchen – gehen Sie – gleich gehen Sie – So fuhr ich den Menschen an, und

stellte mich wie kampflustig vor ihn hin – Hoho hoho klein Bestie – lachte er hämisch, aber er schien nicht ohne Scheu vor meiner kleinen Person. Doch schnell, ehe ich mir's versah, ergriff er meine kleine Schwester [und fuhr ihr mit den Fäusten] / [nach dem Gesicht] – Da schlug ich ihn [mit geballter Faust] nach dem Gesicht – er hatte sich gebückt – ich traf ihn schmerzlich – mit wüthendem Blick fuhr er auf mich loß – ich schrie Hülfe – Hülfe – des Nachbars Brauers Knecht sprang vor die Thür, Hey Hey – hey – der tolle Advokat – der tolle Coppelius – macht euch über ihn her macht euch über ihn her – so rief es und stürmte von allen Seiten auf ihn ein – er floh gehezt über die Straße – Aber nicht lange dauerte es, so fingen meienm Schwesterlein die Augen an zu schmerzen, Geschwüre, unheilbar sezten sich dran – in drey Wochen war sie blind – drey Wochen darauf vom Nervenschlag getroffen todt – ›Die hat der teuflische Sandmann ermordet – Vater – Vater – gieb ihn bey der Obrigkeit an, den verfluchten Mörder! – so schrie ich unaufhörlich. Der Vater schalt mich heftig und bewies mir, daß ich was unsinniges behaupte, aber in dem Jammerblicke der trostlosen Mutter las ich nur zu deutlich, daß [eine] sie dieselbe Ahnung in [ihr wohne] innern trage. – Es hieß, Coppelius habe die Stadt verlaßen.«
(Aus: Ulrich Hohoff: E. T. A. Hoffmann: Der Sandmann. Textkritik, Edition, Kommentar. Berlin / New York 1988, S. 26–28; zitiert nach der etwas vereinfachten – nicht alle Textstufen wiedergebenden – Version im Anmerkungsteil der von Joseph Kiermeyer-Debre herausgegebenen Ausgabe der Erzählung in der Reihe ›Bibliothek der Erstausgaben‹. München: Deutscher Taschenbuch Verlag 2010, S. 69 f.)

S. 17 alchymistische Versuche Die Geheimwissenschaft der Alchemie (oder, nach der arabischen Herkunft des Begriffs, Alchymie oder Alchimie) fand besonders im späten Mittelalter viele Anhänger, die zumeist danach trachteten, anorganische Stoffe zu veredeln bzw. aus wertlosen Metallen Gold zu gewinnen. Nach geistigen Erkenntnissen dürstende Alchimisten verfolgten dagegen das Ziel, den sogenannten Stein des Weisen zu entdecken, der ihnen Einsicht in die innersten Gesetze des Kosmos bieten sollte. Goethes Faust weist eine Verwandtschaft zu dieser zweiten Spezies von Alchimisten auf; jedenfalls lässt er sich während der Eingangsszene des Dramas kurz auf diesen vermeintlichen Weg der Erkenntnis ein.

S. 20 Spalanzani Mit ›Spalanzani‹ setzt sich die Reihe der sprechenden Namen fort: Das italienische Verb ›spalancare‹ bedeutet im übertragenen Sinne auch ›die Augen aufreißen‹. Darüber hinaus ist der Name der Figur eng an den Namen eines seinerzeit berühmten italienischen Naturforschers angelehnt: Lazzaro Spallanzani (1729–1799) unternahm unter anderem Experimente mit künstlicher Befruchtung (bei Tieren).

Cagliostro Alessandro Graf von Cagliostro, der eigentlich Guiseppe Balsamo hieß (1743–1795), war am Vorabend der Französischen Revolution ein in ganz Europa bekannter und berüchtigter Okkultist, Alchimist, Magier und Wunderheiler, der die Fantasie vieler Menschen beschäftigte. Er stand unter anderem Schiller Pate für seine Romanfigur des »Geisterseher[s]« und Goethe für die Hauptfigur seines von einem angeblichen Geheimbund handelnden Lustspiels »Der Groß-Cophta« (1791).

Chodowiecki Der in Danzig geborene deutsche Grafiker und Kupferstecher mit hugenottischen und polnischen Vorfahren Daniel Nikolaus Chodowiecki (1726–1801) war der populärste, aber auch der künstlerisch herausragende Illustrator von Büchern und anderen Druckerzeugnissen im Berlin der Aufklärungsepoche. Sein Bildnis Cagliostros findet sich in der Serie »Mode Thorheiten« (11. Blatt) im »Berliner genealogischen Kalender auf das Jahr 1789«.

S. 21 Olimpia Auch Olimpia ist ein sprechender Name. Er bedeutet ›die Himmlische‹ oder ›die aus dem Olymp [dem Sitz der Götter in der griechischen Mythologie] Herabgestiegene‹.

S. 22 Es gärte und kochte in Dir Nach Überzeugung der damaligen medizinischen Wissenschaft lösen seelische Eindrücke körperliche Reaktionen aus, die wiederum spezifische Gemütszustände hervorrufen. So führt ein Erregungszustand zur Beschleunigung des Blutkreislaufs und zum Anstieg der Körpertemperatur.

ein kecker Maler Zu denken ist hier wohl an den französischen Zeichner und Kupferstecher Jacques Callot (1592–1635), der einen ›fantastischen Realismus‹ pflegte, also mit einer gewissen Vorliebe dunkle und unheimliche Motive aufgriff und sie in skurriler und burlesker Weise darstellte. Hoffmann ließ auf dem Titelblatt der »Nachtstücke«, deren erster Teil mit der Erzählung »Der Sandmann« eröffnet wird, den Hinweis drucken: »in Callots Manier«.

S. 24 das wunderbare Magdalenenhaar [...] von Battonischem Kolorit Über das Bild »Die büßende Magdalena« (Öl auf Leinwand, 77 mal 95 cm) des italienischen Malers Pompeo Girolamo Battoni (auch: Batoni; 1708–1787), das in der Dresdner Gemäldegalerie hing, schrieb Hoffmann am 26. August 1798 an seinen Freund Theodor Gottlieb von Hippel, es habe ihn »entzückt«. (Das Original wurde im Zweiten Weltkrieg zerstört. Eine Kopie aus dem 19. Jahrhundert ist im Wikipedia-Artikel ›Pompeo Batoni‹ abgebildet.)

Ruisdael Die Landschaftsbilder des holländischen Malers Jacob Isaackzoon van Ruisdael (1628 oder 1629–1682) waren von großem Einfluss auf die Malerei der Romantik.

S. 26 mystische Schwärmerei ›Mystisch‹ hat hier, wie auch sonst im Text, eine negative Bedeutung (im Sinne von ›abgehoben‹, ›realitätsscheu‹ ›eigensinnig vor sich hin brütend‹). Ein Schwärmer ist im Sprachgebrauch der Zeit ein Fantast (eine Generation vorher hatte man viel von ›empfindsamer Schwärmerei‹ gesprochen).

S. 28 in einen flammenden Feuerkreis Der Feuerkreis symbolisiert den Wahnsinn: Die rasende Zirkulation des auf den Teufel verweisenden Elements des Feuers beschreibt eindringlich das Außer-Kontrolle-Geraten des Verstands.

S. 35 von zu starkem Einschnüren Olimpia trägt, der damaligen Mode entsprechend, ein Korsett, das die Taille einschnürt. Hierdurch scheinen sich (vorläufig) ihre steifen Bewegungen zu erklären.

S. 38 die Legende von der toten Braut Der Sagenstoff um einen jungen Mann, der nachts von seiner verstorbenen Braut auf- bzw. heimgesucht wird, wurde um 1800 von einer Reihe von Autoren neu aufgegriffen, unter anderen von Goethe in seiner Ballade »Die Braut von Korinth« (1798).

S. 45 eine Allegorie – eine fortgeführte Metapher Die Definition der Allegorie als einer ›fortgeführten Metapher‹ ist direkt aus dem Grundlagenwerk des römischen Lehrers der Rhetorik Quintilian (um 35 bis um 96 n. Chr) übernommen (»allegoriam facit continua metaphora«).

Kriminaluntersuchung wegen … eingeschobenen Automats E. T. A. Hoffmann, der durch Vermittlung seines Freundes Hippel seit 1814 hauptberuflich am Berliner Kammergericht tätig war, sich dort den Ruf eines sehr kompetenten Juristen erwarb und 1816 zum Kammergerichtsrat ernannt wurde, macht sich hier über das ›Juristendeutsch‹ lustig.

Coppola war auch verschwunden. – Im Manuskript der Erzählung folgt hier der Satz: »Am Ende war es doch wohl der gräßliche Sandmann Coppelius.« Dass Hoffmann diesen Satz strich, als er den Text vor der Drucklegung überarbeitete, kann als Zeichen für seine Absicht gewertet werden, den Sachverhalt für den Leser möglichst in der Schwebe zu lassen.

S. 46 der hohe Ratsturm warf seinen Riesenschatten über den Markt Diese Aussage wirkt nicht plausibel, denn »[z]ur Mittagsstunde« (S. 46, Z. 22) steht die Sonne am höchsten und kann infolgedessen eigentlich keine riesenhaften Schatten werfen. Vielleicht handelt es sich hier um eine Ungenauigkeit des Autors. Vielleicht soll hier aber auch bewusst im Erzählerbericht bereits die Perspektive Nathanaels anklingen, für den sich die äußere Welt ins Ungeheuerlich-Riesenhafte verzerrt, bevor wenige Augenblicke später erneut der Wahnsinn in ihm ausbricht.

Da standen die beiden Liebenden Der Schluss im Manuskript der Erzählung, das Hoffmann am 24. November 1815 an den Verleger

Georg Andreas Reimer geschickt hatte, weicht bedeutsam vom Schluss der Druckfassung ab. Er lautet:

»Da standen die beiden Liebenden Arm und Arm auf der Gallerie, und schauten hinein in ferne duftige Waldungen, und [sahen] verfolgten mit seehnsüchtigem blick wie der Strom in silbernen [Schlangen] Windungen sich durch die blumen/flure schlängelte »Was mag das für ein kleines [weißes] graues [Haus/Häubchen] Thurmchen seyn, was dort ligt – ach – es bewegt sich ja – schau doch hin Nathanael? – Nathanael faßte mechanisch nach der Seitentasche – er fand Coppolas Perspektiv – er schaute seitwärts, [er faßte] Clara stand vor dem Glase. Da glühte und zuckte es in seinen Pulsen und Adern – Feuerströme glühten [auf] und sprühten durch die rollenden Augen – gräßlich brüllte er auf wie ein gehetztes Thier, aber dann sprang er hoch [auf] in die lüfte und schrie in schneidendem Ton, entsetzlich dazwischen/lachend: Holzpüpchen dreh' dich – Holzpüpchen dreh dich – Und mit gewaltiger Kraft faßte er Clara und wollte sie hinabschleudern [übers Geländer], aber Clara krallte sich in verzweifelter TodesAngst fest an das Geländer – Lothar hörte ihr Geschrey, eine gräßliche Ahnung durchflog ihn – er rannte herauf – die Thüre der zweiten Treppe war verschloßen, Claras Jammergeschrey hallte – stärker – und stärker Unsinnig vor Wuth [Entsetzen] und Angst schlug er dagegen – sie wich seinem [kräftigen] verdoppelten Stoßen – Matter ertönten Clara's Laute herauf immer fort herauf – auch die Thür zur Gallerie war verschloßen – Hülfe – Rettung – Hülfe Hülfe – So erstarb beinahe [erstarben] [schon] Claras [TodesLaute] Rufen – Sie ist hin – Sie ist hin – gemordet vom Rasenden – so schrie Lothar – die Verzweiflung gab ihm Riesenkraft – mit [ganzem Leibe] voller Stärke gegen die Thüre drängend riß er sie aus den Angeln – Gott im Himmel! – Nathanael hatte Claras rechte Hand losgemacht vom Geländer sie hing [über dem Geländer] mit *[unleserlich]* Leibe heraus ins Freye – das Kleid flatterte in den Luften – Aber in dem Augenblick faßte mit der einen Hand Lothar die

Schwester und schlug mit geballter Faust dem rasenden Nathanael ins Gesicht daß er zurückprallte – Mit der Schnelligkeit des Blitzes rannte Lothar die ohnmächtige [Schwester] Clara in den Armen herab. Sie war gerettet –
Nun raste Nathanael herum auf der Gallerie, da rief eine widerwärtige Stime von unten herauf: Ey Ey – Kleine Bestie – willst Augen machen lernen – wirf mir dein Holzpüpchen zu! – wirf mir dein Holzpüpchen zu – – es war das klein grau Thürmchen, was Clara geschaut – aber nicht ein Thürmchen – der Advokat Coppelius stand unten am Thurm und schaute und rief so herauf – Nathanael erblickte den Coppelius und lachte: ha ha ha – Sköne Oke – Sköne Oke – Kauf sie dir ab – Kauf sie dir ab – Komm' schon – Komm schon! – Und damit sprang er über das Geländer! –
Als Nathanael im zerschmettertem Gehirn [unten] auf [der Straße] dem Steinpflaster lag, war Coppelius unter den Menschen, die sich um den Todten versammelten, verschwunden.
Nach mehreren Jahren will man in einer entfernten Gegend Clara gesehen haben, wie sie mit einem freundlichen Manne Hand in Hand vor der Thüre eines schönen Landhauses saß, und vor ihr her zwey muntre goldlockigte Knaben spielten. Es wäre daraus zu schließen, daß sie das ruhige häusliche Glück noch fand, das ihrem heitern, lebenslustigen Sinn zusagte, und das ihr der im Innern zerrißene Nathanael niemahls gewähren konte.«
(Zitiert nach: Ulrich Hohoff: E. T. A. Hoffmann: Der Sandmann. Textkritik, Edition, Kommentar. Berlin / New York 1988, S. 138–145)

Leben und Werk im Überblick

Königsberg, 1776–1796

Ernst Theodor Wilhelm Hoffmann kommt am 24. Januar **1776** als Sohn des Hofgerichtsadvokaten Christoph Ludwig Hoffmann und seiner Frau (und Cousine) Louise Albertine, geborene Doerffer, in Königsberg zur Welt. Königsberg (heute Kaliningrad / Russland) liegt am nordöstlichen Rand Preußens. Die Stadt ist eine wichtige Nebenresidenz und Sitz einer Universität, an der der einflussreichste Denker der Epoche, der Aufklärungsphilosoph Immanuel Kant, fast ein halbes Jahrhundert lang (von 1755 bis zu seinem Tod im Jahre 1804) lehrt.

1778 lassen sich Ernsts Eltern scheiden. Während der ältere Bruder Johann Ludwig dem Vater zugesprochen wird, zieht die Mutter mit Ernst zu ihrer verwitweten Mutter. Dort wächst er unter der Obhut der Doerffer'schen Familie auf. Ab **1782** besucht Ernst zehn Jahre lang die reformierte Burgschule in Königsberg. **1786** freundet er sich mit seinem Mitschüler Theodor Gottlieb Hippel (1775–1843) an; es ist der Beginn einer lebenslangen Verbundenheit. 1790 wird die Familie des Freundes geadelt. Ernsts vielseitiges künstlerisches Talent wird bemerkt und gefördert. Er erhält Musikunterricht bei dem Domorganisten der Stadt und Zeichenunterricht bei einem Maler. Gleichwohl beginnt er **1792** Jura zu studieren. Nebenher erteilt er selbst Musikunterricht und verliebt sich **1794** – zum ersten, aber nicht zum letzten Mal – in eine Schülerin. Hippel, der ebenfalls Jura studiert hat, verlässt Königsberg. Die Freunde halten brieflich engen Kontakt. **1795** legt auch Hoffmann sein erstes juristisches Examen ab und wird Auskultator (unbezahlter ›Zuhörer‹) am Gericht. Er arbeitet an (nicht überlieferten) Romanprojekten, liest sich durch die Weltliteratur und hört zum ersten Mal Mozarts Oper »Don Giovanni«. Anfang **1796** führt die immer noch schwelende Liebesbeziehung zu der neun Jahre älteren, verheirateten Dora Hatt zu Konflikten (er legt sich mit einem anderen Verehrer Doras an), in deren Folge Hoffmann Königsberg verlässt. Im März stirbt die Mutter, im Juni siedelt er zu seinem Patenonkel nach Glogau (heute Polen) über.

Glogau und Berlin, 1796–1800

Hoffmann beteiligt sich an der Ausmalung der Jesuitenkirche in Glogau. Im April **1797** stirbt sein Vater. **1798** verlobt sich Hoffmann mit seiner wenige Monate älteren Cousine Minna Doerffer. Im Juni legt er sein zweites juristisches Examen ab. Die Prüfer urteilen: »überall ausnehmend gut«. Da sein Patenonkel als Obertribunalrat nach Berlin berufen wird, bewirbt sich Hoffmann – mit Erfolg – als Referendar am berühmten Berliner Kammergericht, dem obersten Appellationsgericht Preußens. Ende August kommt er in Berlin an, wo er wieder bei den Verwandten wohnt. Er nimmt Kompositionsunterricht bei Johann Friedrich Reichardt (1752–1814), einem ebenfalls aus Königsberg stammenden Musiker und Musikschriftsteller, der zwischen 1775 und 1794 königlich-preußischer Hofkapellmeister gewesen ist. **1799** dichtet und komponiert Hoffmann das dreiaktige Singspiel »Die Maske«, das von der Direktion des Königlichen Nationaltheaters jedoch nicht zur Aufführung angenommen wird. Zusammen mit Hippel, der vorübergehend in Berlin ist, bereitet sich Hoffmann auf das dritte und letzte Juristenexamen vor, das er Ende März **1800** ablegt. Im Mai erfolgt die Ernennung zum Assessor (›Beisitzer‹, ›Gehilfe im Amt‹). Hoffmann wird an das Obergericht in Posen in der 1793 im Zuge der ›Zweiten Polnischen Teilung‹ neu geschaffenen Provinz Südpreußen versetzt. Über Weihnachten ist er zu Besuch in Berlin, wo er im Hause des Patenonkels auch den seit 1795 sehr erfolgreichen und umschwärmten Romanschriftsteller Jean Paul (eigentlich Johann Paul Friedrich Richter; 1763–1825) kennenlernt.

Posen, Plock und Königsberg, 1800–1804

1801 komponiert Hoffmann das Singspiel »Scherz, List und Rache« nach einem Text Goethes und führt es in Posen auf. Die Partitur lässt Jean Paul Goethe zukommen.

Anfang **1802** werden Karikaturen publik, in denen sich Hoffmann über Mitglieder der ›besseren Gesellschaft‹ Posens lustig gemacht hat. Die Affäre führt zu Hoffmanns Strafversetzung nach Plock, einem unbedeutenden Nest etwa hundert Kilometer nordwestlich von Warschau. Noch in Posen löst Hoffmann im März das Verlöbnis mit Minna Doerffer und heiratet Ende Juli die 23 Jahre alte Polin Marianna Thekla Michaelina Rorer (›Mischa‹), eine Tochter des ehemaligen Posener Magistratssekretärs Michael Rorer.

In Plock lebt Hoffmann mit seiner Frau sehr zurückgezogen. Er komponiert Kirchen- und Klaviermusik, für die er keinen Verleger findet. **1803** veröffentlicht er im »Freimüthigen«, einer im selben Jahr von dem Lustspieldichter August von Kotzebue (1761–1819) gegründeten Zeitschrift, seinen ersten Text, das »Schreiben eines Klostergeistlichen an seinen Freund in der Hauptstadt«. Der kurze Text ist ein Diskussionsbeitrag in einem Literaturstreit um Schillers Versuch, in seinem jüngsten Drama »Die Braut von Messina« (1803) den Chor der antiken Tragödie wiederzubeleben. Hoffmann nimmt auch an einem von Kotzebue ausgeschriebenen Lustspiel-Wettbewerb teil, erhält aber keinen Preis.

1804 haben seine Bemühungen, Plock wieder verlassen zu dürfen, Erfolg. Er wird im März nach Warschau versetzt. Noch von Plock aus reist er für drei Wochen nach Königsberg. Es wird sein letzter Besuch in der Heimatstadt sein.

Warschau und Berlin, 1804–1808

In Warschau freundet sich Hoffmann, inzwischen zum Regierungsrat befördert, mit dem Regierungsassessor Julius Eduard Hitzig (1780 bis 1849) an, der einer begüterten Berliner jüdischen Familie entstammt und ihn mit den Werken der Frühromantiker (Tieck, Wackenroder, Novalis, Friedrich Schlegel) vertraut macht. Hoffmann komponiert, nach einem Text von Clemens Brentano (1778–1842), das Singspiel »Die lustigen Musikanten«, das **1805** aufgeführt wird. Auf dem Titelblatt der Partitur gibt Hoffmann aus Verehrung für Mozart seinen dritten Vornamen erstmals als »Amadeus« an. Von nun an nennt er sich Ernst Theodor Amadeus (E. T. A.) Hoffmann.

Im **Juli 1805** bringt Hoffmanns Frau eine Tochter zur Welt. Sie erhält den Namen der Schutzheiligen der Kirchenmusik, Cäcilia. Ebenfalls 1805 schließt Hoffmann nähere Bekanntschaft mit dem Juristen und Verwaltungsfachmann Zacharias Werner (1768–1823), der gleichfalls aus Königsberg stammt und eben dabei ist, sich als Dramatiker einen Namen zu machen. Seine überlangen, mystisch dunklen und pathetischen Theaterstücke, die oft historische Stoffe aufgreifen, gelten vielen als Inbegriff des Romantischen und erregen in den Folgejahren viel Aufsehen. Hoffmann komponiert die Bühnenmusik zu Werners Drama »Das Kreuz an der Ostsee« (1806) und eine Messe in d-Moll. Zusammen mit einigen Gleichgesinnten sorgt er zudem durch die Gründung einer ›Musikalischen Gesellschaft‹ Ende Mai 1805 dafür, dass das Musikleben Warschaus einen merklichen Aufschwung nimmt. Ein Konzertsaal wird gefunden, dessen Räumlichkeiten Hoffmann künstlerisch gestaltet und ausmalt. Zur Eröffnung im Jahr **1806** dirigiert er seine Symphonie in Es-Dur.

Im Herbst 1806 steuert Preußen, das sich zuvor als einzige europäische Großmacht über zehn Jahre lang aus den militärischen Auseinandersetzungen zwischen den alten Mächten (vor allem Österreich und Russland) und dem revolutionären und später napoleonischen Frankreich herausgehalten hat, auf einen bewaffneten Konflikt mit Napoleon zu. Schlecht vorbereitet und ohne Verbündete wird die einst so ruhmreiche preußische Armee Mitte Oktober, kurz nach Ausbruch des Konflikts, in der Doppelschlacht von Jena und Auerstedt vernichtend geschlagen. Zwar zieht sich der Krieg noch bis in den Sommer 1807 hinein hin, aber entschieden ist er schon nach dieser Schlacht. Ende November besetzen die Franzosen Warschau. Die preußische Verwaltung wird aufgelöst. Hoffmann ist stellungslos.

Anfang **1807** schickt Hoffmann seine Frau mit der kleinen Tochter zu ihren Verwandten nach Posen. Er bezieht eine Dachkammer im Gebäude der ›Musikalischen Gesellschaft‹ und erkrankt schwer.

Nach seiner Wiederherstellung scheitert der Plan, nach Wien zu übersiedeln, weil er kein Visum erhält. Also geht er nach Berlin, wo er von Juni 1807 an ein Jahr lang in großer materieller Not lebt und Hunger leidet. Da Preußen nach dem Friedensschluss von Tilsit (Juli 1807) auf einen Rumpfstaat reduziert ist, unter französischer Besatzung steht und hohe Kriegsentschädigungen zahlen muss, besteht für Hoffmann kaum eine Aussicht auf erneute Anstellung im Staatsdienst. Er versucht, zunächst ohne großen Erfolg – denn im allgemeinen Zusammenbruch ist auch die Nachfrage nach Kunst gering –, die Kunst zu seinem Hauptberuf zu machen. Im August erreicht ihn zudem die Nachricht vom Tod seiner zweijährigen Tochter.

Bamberg, 1808–1813

Mitte April **1808** bietet sich die Möglichkeit, als Musikdirektor und Dirigent ans Bamberger Theater zu gehen. Hoffmann sagt freudig zu. Anfang Juni verlässt er Berlin. Er holt seine Frau in Posen ab und trifft Anfang September in Bamberg ein. Sein Debüt als Operndirigent misslingt, woraufhin er die Orchesterleitung abgibt. Er führt weiterhin den Titel ›Musikdirektor‹, muss sich aber in der Folge mit privatem Musikunterricht und gelegentlichen Kompositionsaufträgen des Theaters zufrieden geben.

Nach dem Misserfolg als Kapellmeister wendet sich Hoffmann verstärkt der Schriftstellerei zu. Im Februar **1809** erscheint in der »Allgemeinen Musikalischen Zeitung« (Leipzig) seine Erzählung »Ritter Gluck«, die den Auftakt zu einer Reihe von Erzählungen über geheimnisvolle und exzentrische Musikerfiguren bildet. Hoffmann wird regelmäßiger Mitarbeiter der »AMZ«.

In Bamberg, das damals rund 17 000 Einwohner hat, findet Hoffmann unter den wirtschaftlich und kulturell tonangebenden Bürgern Anschluss. Er schließt Bekanntschaft mit dem genialischen Arzt und Direktor des Krankenhauses Adalbert Friedrich Marcus (1753–1816), einem der führenden Mediziner der Zeit, sowie mit dem Weinhändler Carl Friedrich Kunz, der bald sein erster Verleger werden wird.

Im Herbst **1810** überzeugt Marcus den Österreicher Franz Ignaz von Holbein (1779–1885), die Leitung des Theaters zu übernehmen. Holbein hat seine Künstlerlaufbahn als Sänger und Gitarrist begonnen, sich dann als Bühnendichter bewährt und ist zuletzt Hoftheaterdirektor am Theater an der Wien gewesen. Unter seiner Direktion blüht das Bamberger Theater auf. Er bindet Hoffmann wieder intensiv ein, der in der Folge als Direktionsassistent, Regisseur, Bühnenbildner und Komponist viel zum Aufschwung des Hauses beiträgt. Hoffmann gibt aber auch das Schreiben nicht wieder auf und erfindet 1810 die Figur des Kapellmeisters Johannes Kreisler, in der er eigene Erfahrungen und seelische Nöte spiegelt.

1811 verliebt sich Hoffmann in seine fünfzehnjährige Gesangsschülerin Julia Marc (1896–1864). Er besucht Jean Paul in Bayreuth und lernt den Komponisten, Pianisten und Dirigenten Carl Maria von Weber (1786–1826) kennen.

1812 ist ein Krisenjahr. Hoffmanns Leidenschaft für Julia Marc gefährdet seine Ehe und seine Position in der Bamberger Gesellschaft. Die Mutter Julias beeilt sich, die Tochter unter die Haube zu bringen. Ende des Jahres heiratet sie einen Kaufmann. Hoffmann ist hilfloser Zeuge dieser Entwicklung und glaubt sich dem Wahnsinn nahe. Als überdies Holbein die Leitung des Theaters niederlegt, ist Hoffmann erneut stellungslos. Im Sommer des Jahres fasst er die Idee, aus der Erzählung »Undine« (1811) von Friedrich de la Motte Fouqué (1777 bis 1843) eine Oper zu machen. Fouqué, der sich als Autor auf märchenhafte Stoffe und Rittergeschichten spezialisiert hat und in »Undine« von der verhängnisvollen Liebe eines Ritters zu einem weiblichen Wasserwesen erzählt, ist einverstanden und schreibt ein Libretto (einen Operntext) für Hoffmann. Im Spätherbst leidet das Ehepaar Hoffmann unter großer Geldnot.

Anfang **1813** eröffnen sich wieder bessere Aussichten: Hoffmann wird die Position des Musikdirektors bei der in Leipzig und Dresden auftretenden Operntruppe Joseph Secondas (1761–1820) angeboten und der Weinhändler Kunz beginnt als sein Verleger tätig zu werden.

Dresden und Leipzig, 1813–1814

Ende April trifft Hoffmann in Dresden ein; zwei Wochen später wird die Stadt von Napoleons Truppen besetzt. Hoffmann reist weiter nach Leipzig. Auf dem Weg dorthin kippt der Postwagen um und Mischa wird ernsthaft verletzt. In den folgenden Monaten pendelt Hoffmann zwischen Leipzig und Dresden, wo das Kriegsgeschehen und die Not der Bevölkerung im Herbst auf den Höhepunkt gelangen. Mitte Oktober kommt es zu der dreitägigen sogenannten Völkerschlacht bei Leipzig, der bis dahin wohl größten Schlacht der Weltgeschichte, in der 600 000 Soldaten kämpfen – von denen fast 100 000 getötet oder verwundet werden – und die verbündeten Armeen Russlands, Preußens, Österreichs und Schwedens endgültig Napoleons Vorherrschaft in Europa brechen.

Anfang **1814** schreibt Hoffmann das Märchen »Der goldene Topf«. Im Februar kommt es zu einem Zerwürfnis mit Seconda. Dieser zieht Hoffmanns Kompetenz in Zweifel und kündigt ihm. Um Geld zu verdienen, liefert Hoffmann wieder vermehrt Beiträge für die »AMZ« und beginnt im März mit der Arbeit an seinem ersten Roman (»Die Elixiere des Teufels«). Im Mai erscheinen bei Kunz in Bamberg die ersten beiden Bände der »Fantasiestücke«, die unter anderem Hoffmanns Kreisler-Texte (»Kreisleriana«) enthalten. Im Juli erhält Hoffmann Besuch von seinem Jugendfreund Hippel, der seit 1811 Staatsrat und ein enger Mitarbeiter des preußischen Staatskanzlers Karl August von Hardenberg (1750–1822) ist. Hippel möchte Hoffmann helfen, in den Staatsdienst zurückzukehren. Im August beendet Hoffmann die Komposition seiner Oper »Undine«, im September erreicht ihn aus dem preußischen Justizministerium das Angebot, wieder Staatsbeamter – wenn auch zunächst ohne Gehalt – zu werden.

Berlin, 1814–1822

Dem Autor der »Fantasiestücke«, die in der literarischen Welt einiges Aufsehen erregt haben, öffnen sich nach seiner Rückkehr nach Berlin viele Türen. Er verkehrt in literarischen Zirkeln, lernt neben

Fouqué mit Ludwig Tieck (1773–1853) und Adelbert von Chamisso (1781–1838) weitere wichtige Schriftsteller der Romantik kennen und erhält ab **1815** viele Anfragen, Erzählungen für die damals beliebten Sammelbände mit unterhaltenden Beiträgen verschiedener Autoren (›Taschenbücher‹ und ›Almanache‹) zu schreiben. Da er noch kein Gehalt bezieht, nimmt er zahlreiche Aufträge an. An Ostern erscheint der vierte und letzte Band der »Fantasiestücke«. Im Mai wird seine Oper »Undine« zur Aufführung am Nationaltheater angenommen. Im Herbst kommt der erste Band des Romans »Die Elixiere des Teufels« heraus. In diese Zeit fällt auch der Beginn der Freundschaft mit dem genialen und populären Schauspieler Ludwig Devrient (1784 bis 1832). Im November entsteht die Erzählung »Der Sandmann«.

1816 unternimmt Hoffmann einige letzte Versuche, Kapellmeisterstellen zu erhalten. Als Musiker dauerhaft erfolgreich zu sein, bleibt sein Lebenstraum. Als seine Bewerbungen scheitern, findet er sich endgültig damit ab, seinen Lebensunterhalt als Jurist im Staatsdienst zu verdienen. Er arbeitet am Kammergericht, inzwischen auch mit Gehalt, und wird zum Kammergerichtsrat ernannt. Daneben bleibt er als Schriftsteller produktiv und präsent. Im Mai erscheint der zweite Band der »Elixiere des Teufels«, im Herbst – nunmehr bei dem Berliner Verleger Georg Andreas Reimer, bei dem fast alle Romantiker ihre Werke herausbringen – der erste Band der »Nachtstücke«, der auch den »Sandmann« enthält. Dazwischen liegt Hoffmanns wohl größter persönlicher Triumph als Künstler: Seine Oper »Undine« wird am 3. August, dem Geburtstag des Königs, uraufgeführt und findet bei Publikum und Kritik viel Anklang. Bis zum Sommer 1817 wird die Oper noch dreizehn Mal wiederholt. Es kommt zu erneuten Begegnungen mit Carl Maria von Weber – der im März 1817 in der »AMZ« eine eingehende Besprechung der »Undine« veröffentlicht – und aus der Bekanntschaft wird Freundschaft.

1817 ist Hoffmann ein etablierter Autor, der immer höhere Honorare für seine Texte erhält. Die Zeit der finanziellen Not ist vorbei. Beim Kammergericht genießt er als Richter und Mitglied des Kriminalsenats hohes Ansehen. Auch das Komponieren hat er nicht völlig aufgegeben: Anfang 1817 wird ein einaktiges Schauspiel »Thassilo« von Fouqué aufgeführt, zu dem Hoffmann die Bühnenmusik geschrieben hat. Zudem verfolgt er das Projekt einer Oper nach einem Stück des spanischen Dramatikers Pedro Calderón de la Barca (1600 bis 1681), das er aber 1819 wieder fallenlässt. Aus den geselligen Zirkeln der literarischen Welt beginnt er sich zurückzuziehen. Stattdessen wird er Stammgast im Weinhaus Lutter und Wegner, wo ihm Ludwig Devrient Gesellschaft leistet.

Im Frühsommer **1818** macht Hoffmann eine schwere Erkrankung durch. Als er wieder gesund ist, schafft er einen jungen Kater an, den er »Murr« nennt. Im Oktober beendet er die Kriminalerzählung »Das Fräulein von Scuderi«. Der Plan einer großen Sammlung von Erzählungen entsteht (»Die Serapionsbrüder«).

Im Februar **1819** erscheint der erste Band der »Serapionsbrüder«. Im Mai nimmt Hoffmann die Arbeit an dem satirischen Roman »Lebensansichten des Katers Murr nebst fragmentarischer Biographie des Kapellmeisters Johannes Kreisler in zufälligen Makulaturblätter« auf. Den Sommer verbringt er im Riesengebirge, um sich gesundheitlich zu erholen.

Inzwischen hat sich das politische Klima in Deutschland verschärft. Die republikanisch und gesamtdeutsch patriotisch gesinnten Bürger, die noch vor wenigen Jahren in den Befreiungskriegen gegen Napoleon geholfen haben, die Franzosen aus dem Land zu treiben, fühlen sich von ihren Fürsten betrogen. Diese hatten in Aussicht gestellt, die Bürger stärker als bisher an der Macht zu beteiligen, sich später aber nicht mehr an diese Versprechen erinnern wollen. Daraufhin bilden sich oppositionelle Gruppen, etwa unter den burschenschaftlich organisierten Studenten oder innerhalb der neuen Turnbewegung, deren Galionsfigur der etwas verschrobene selbsternannte Apostel eines einigen Großdeutschland Friedrich Ludwig Jahn (1778–1852), der »Turnvater Jahn«, ist. Als August von Kotzebue (vgl. S. 65), der die Burschenschaftler und die Turnbewegung in seinem »Literarischen Wochenblatt« angegriffen hatte, am 23. März 1819 in seinem Haus in Mannheim von dem 23-jährigen Burschenschaftler und Theologiestudenten Karl Ludwig Sand als »Verräter des Vaterlandes« erstochen wird, reagieren die Regierungen Österreichs und Preußens mit Härte. Fürst Metternich und Hardenberg einigen sich am 1. August in Teplitz auf die Grundlinien einer repressiven Politik, auf die nach Verhandlungen vom 6. bis 31. August im böhmischen Kurort Karlsbad dann auch die acht nächstwichtigsten Staaten einschwenken. Diese ›Karlsbader Beschlüsse‹ werden am 20. September vom Bundestag in Frankfurt in einem Eilverfahren verabschiedet und gelten nun für alle deutschen Länder. Sie bilden die rechtliche Grundlage für eine strenge Überwachung der Universitäten und die Entlassung als staatsfeindlich eingeschätzter Hochschullehrer, für eine Vorzensur aller Druckerzeugnisse, deren Umfang 320 Seiten unterschreitet, und für die Errichtung einer in Mainz angesiedelten zentralen Fahndungsbehörde zur Aufdeckung revolutionärer Umtriebe. Die Aburteilung der sogenannten Demagogen (›Volksverführer‹) fällt wiederum in die Verantwortung der Einzelstaaten.

Als Hoffmann von seinem Erholungsurlaub im Riesengebirge zurückkehrt, wird er in die ›Immediat-Untersuchungskommission zur Ermittlung hochverräterischer Verbindungen und anderer gefährlicher Umtriebe‹ berufen. In dieser Funktion verfasst er im Oktober und November mehrere Gutachten, in denen er die Freilassung inhaftierter Demagogen fordert. Der prominenteste Häftling ist Turnvater Jahn, den Hoffmann entlastet, indem er nachweist, wie konstruiert die gegen ihn erhobenen Vorwürfe sind, und kompromittierende Reden und Schriften Jahns als aberwitzige Äußerungen eines nicht ganz zurechnungsfähigen Menschen darstellt. Als Jahn Mitte November eine Beleidigungsklage gegen den Polizeidirektor Kamptz anstrengt, entscheidet Hoffmann, der mit der Sache befasst wird, die Klage zuzulassen. Durch diesen und andere Schritte zieht er sich den Hass Karl Albert von Kamptz' (1769–1849) sowie des Innenministers Friedrich von Schuckmann (1755–1834), der beiden Hauptbetreiber

Federzeichnung Hoffmanns, wohl vom Herbst 1821, die den Autor, auf dem Kater Murr reitend, im Kampf gegen seine Widersacher (Kamptz und von Schuckmann?) zeigt.

der preußischen Demagogenverfolgungen, zu. Jahn wird noch fünf Jahre in Haft gehalten und erst im März 1825 freigesprochen.

Im Dezember erscheint der erste Band des »Kater Murr«. Dass der Autor hier bereits in verschlüsselter Form Kritik an der staatlichen Unterdrückungspolitik übt, wird nicht bemerkt.

Im Februar **1820** legt Hoffmann ein umfassendes Gutachten zum Fall Jahn vor, in dem er zum Schluss kommt, dass der Häftling freizulassen sei. Im Mai plädieren die Mitglieder der Immediat-Untersuchungskommission in einem von Hoffmann konzipierten Schreiben an den Justizminister erneut dafür, Jahns Haft aufzuheben.

Im Frühsommer entsteht die lange Erzählung »Prinzessin Brambilla«, die vor der Kulisse des Karnevals davon erzählt, wie das Phantastische über die Wirklichkeit hereinbricht. Im Herbst erscheint der dritte Band der »Serapionsbrüder«.

In der zweiten Häfte des Jahres **1821** schreibt Hoffmann den zweiten Band des »Kater Murr«, der kurz vor Weihnachten erscheint. Der echte Kater Murr stirbt zwei Wochen vor Auslieferung des Buchs. Bereits im Oktober ist Hoffmann in den Oberappellationsenat des Kammergerichts aufgestiegen. Er bezieht nun ein höheres Gehalt und hat eine geringere Arbeitsbelastung.

Im Januar **1822** erkrankt Hoffmann erneut schwer. Wenige Tage später werden die bereits gedruckten ersten Bögen seines neuesten Werkes, des Kunstmärchens »Meister Floh«, das satirische Anspielungen auf die Demagogenverfolgungen enthält, auf Veranlassung der preußischen Regierung beschlagnahmt. Auch der Schriftverkehr mit dem Verleger und die noch ungedruckten Teile des Manuskripts werden mitgenommen. Nachdem die Papiere geprüft worden sind, erhebt Polizeidirektor Kamptz die Vorwürfe des Verrats von Amtsgeheimnissen und der Verhöhnung der Strafverfolgungsbehörden. Er fordert eine strenge Bestrafung Hoffmanns. Dessen alter Freund Hippel schaltet sich ein und erreicht zumindest, dass die angeordnete Vernehmung des Beschuldigten verschoben wird. Hoffmann setzt eine Verteidigungsschrift auf und beendet den »Meister Floh«. Ende März verfasst er sein Testament. Bald darauf treten Lähmungserscheinungen auf, die sich immer weiter ausbreiten und Ende Juni den Hals erreichen. Einen Tag später, am 25. Juni, stirbt Hoffmann im Alter von 46 Jahren.

Druck A 12 / Jahr 2024
Alle Drucke der Serie A sind im Unterricht parallel verwendbar.

Bildnachweis:
S. 2 (Selbstbildnis E. T. A. Hoffmanns): akg-images GmbH, Berlin;
S. 50 f.: Wikimedia.commons (©H.-P. Haack);
S. 75: Wikimedia.commons

Redaktion, Satz, Erläuterungen und ›Leben und
Werk im Überblick‹: Dr. Hans-Georg Schede, Freiburg
Layout: Yvonne Behnke, Berlin
Druck und Bindung: Westermann Druck GmbH,
Georg-Westermann-Allee 66, 38104 Braunschweig

ISBN 978-3-507-69981-6

Schroedel Interpretationen

ISBN 978-3-507-47725-4

Die »Schroedel Interpretationen« bieten anspruchsvolle, doch verständlich und interessant geschriebene Darstellungen und Deutungen von wichtigen Werken der deutschen Literatur. Dabei liegt ein besonderer Akzent auf der Vermittlung literaturgeschichtlicher Kenntnisse.
Die Bände der Reihe eignen sich besonders zur Vorbereitung auf Referate, Hausarbeiten, Klausuren und Prüfungen.
Band 27 hat einen Umfang von 120 Seiten und enthält zahlreiche Abbildungen.

Weitere Bände der Reihe in Auswahl:

Bertolt Brecht: Leben des Galilei
ISBN 978-3-507-47702-5

Georg Büchner: Woyzeck
ISBN 978-3-507-47708-7

Friedrich Dürrenmatt: Die Physiker
ISBN 978-3-507-47712-4

Theodor Fontane: Effi Briest
ISBN 978-3-507-47707-0

Johann Wolfgang von Goethe: Faust I
ISBN 978-3-507-47721-6

Franz Kafka: Die Verwandlung
ISBN 978-3-507-47727-8

Heinrich von Kleist: Michael Kohlhaas
ISBN 978-3-507-47705-6

Gotthold Ephraim Lessing: Emilia Galotti
ISBN 978-3-507-47724-7

Thomas Mann: Der Tod in Venedig
ISBN 978-3-507-47728-5

Friedrich Schiller: Kabale und Liebe
ISBN 978-3-507-47723-0

Inhaltsverzeichnisse und Probeseiten zu allen Bänden der Reihe:
www.westermann.de/schroedel-interpretationen